# Wege

## Neuausgabe

Herausgegeben von Dietrich Eggers

## Lehrbuch

von Hans Jürg Tetzeli von Rosador,
Gabriele Neuf-Münkel und Bernd Latour

unter Mitarbeit
von Andreas Deutschmann
und Ulrike Cohen

Max Hueber Verlag

| 4. 3. 2. | Die letzten Ziffern |
| 1997 96 95 94 93 | bezeichnen Zahl und Jahr des Druckes. |

Alle Drucke dieser Auflage können, da unverändert,
nebeneinander benutzt werden.
1. Auflage
© 1992 Max Hueber Verlag, D-8045 Ismaning
Umschlaggestaltung unter Verwendung einer Zeichnung von Joachim Schuster, Baldham
Gesamtherstellung: Ludwig Auer GmbH, Donauwörth
Printed in Germany
ISBN 3–19–001534–1

# Vorwort

Dieses Lehrwerk will Ihnen *Wege* weisen, Ihre Kenntnisse in der deutschen Sprache zu erweitern und auszubauen. Sind Sie Abiturient, Studienbewerber, Student, ausländischer Wissenschaftler? Wollen Sie – für eine kürzere oder längere Zeit – an einer deutschen Universität studieren oder arbeiten? Dann wird *Wege* Ihnen systematisch Fertigkeiten vermitteln, die diesen Aufenthalt in Deutschland erfolgreich machen können. Oder haben Sie andere Gründe, anspruchsvoll gesprochene und geschriebene Texte der deutschen Sprache zu verstehen, zu analysieren, zu kommentieren? Dann wird Ihnen *Wege* gute Dienste leisten.

Zu welchen (*Prüfungs-*)Zielen kann es Sie führen? Wenn Sie gute Grundstufenkenntnisse mitbringen und mit diesem Lehrwerk genau arbeiten, dann ist es möglich, die Zentrale Mittelstufenprüfung des Goethe-Instituts (ZMP) zu bestehen oder – nach einem kurzen zusätzlichen Intensivkurs für die sprachliche Aufnahmeprüfung der Hochschulen – ein Studium aufzunehmen.

Das Lehrwerk *Wege* umfaßt ein *Lehrbuch*, ein *Arbeitsbuch*, eine *Referenzgrammatik (Mittelstufen-Grammatik)*, ein *Cassettenprogramm* und ein *Lehrerhandbuch*.

Wie Sie dem Inhaltsverzeichnis entnehmen können, gliedert sich das Lehrbuch in neun Themenbereiche, die von allgemeinem Interesse sind. Sie sind in Lektionen unterteilt – und einige dieser Lektionen beschäftigen sich ausschließlich mit der Situation ausländischer Studierender in der Bundesrepublik Deutschland. Da wir meinen, daß Hörverstehen, Leseverstehen, mündliche und schriftliche Produktion gleich wichtige Fertigkeiten sind, haben wir sie auch gleichgewichtig behandelt und versucht, *Wege* zu finden, diese Fertigkeiten systematisch zu entwickeln. In jedem Lektionsteil steht eine dieser Fertigkeiten im Mittelpunkt.

Zugang zur deutschen Sprache bedeutet Zugang zur deutschen Kultur. *Wege* bemüht sich, Ihnen diesen Zugang zu erleichtern. Sie werden die deutsche Realität von möglichst vielen Seiten sehen lernen. Deshalb haben wir auch mehrere Texte aufgenommen, in denen Ausländer über ihre Erlebnisse und Erfahrungen in der Bundesrepublik Deutschland berichten. Dem Ziel, ein möglichst buntes und abwechslungsreiches Bild der deutschen Wirklichkeit zu vermitteln, dient auch die große Zahl verschiedener Textsorten. Sie finden in *Wege* Sachtexte, fiktionale Texte, Vorträge, Gespräche, Interviews, Tagebuchaufzeichnungen, Schaubilder, Bildgeschichten.

Folgende kurze Hinweise zu den einzelnen sprachlichen Bereichen und Fertigkeiten sollen Ihnen die Arbeit mit *Wege* erleichtern.

## Leseverstehen

Die Lesetexte sind alle authentisch im Sinne von vorgefunden. Einige Texte wurden leicht gekürzt. Da man z. B. eine Zeitung anders lesen muß als einen Fachtext, haben wir verschiedene Lesestile unterschieden: totales, kursorisches, orientierendes und selegierendes Lesen. In den einzelnen

Kapiteln werden Sie Genaueres erfahren über die verschiedenen Ziele dieser Arten, einen Text zu lesen. Weiterhin enthält das Lehr- und auch das Arbeitsbuch von *Wege* eine Reihe methodischer Hinweise, wie Sie selbständig Texte erschließen können.

## Hörverstehen

Die dialogischen Texte entsprechen gesprochener Sprache. Bei den monologischen Texten (z. B. den Kurzvorträgen) wurden geschriebene Texte so gefaßt, daß sie auch hörend verstanden werden können.
Die Texte sind am Ende des Arbeitsbuchs abgedruckt.

Bevor Sie mit diesem Hörverstehensprogramm arbeiten, möchten wir Sie auf einige Punkte besonders aufmerksam machen:
- *Bitte lesen Sie die Texte auf keinen Fall vor dem Hören.* Ein einmal verstandener Text ist verstanden und kann, wenn Sie dies durch Lesen erreicht haben, nicht mehr hörend verstanden werden.
- Da Hörverstehen Ihnen in vielen Fällen durch vorgegebene Hilfen (z. B. steuernde Fragen) erleichtert werden soll, schalten Sie die Cassette immer nur dann an, wenn das Cassettensymbol ( ) erscheint.
- Die Hörtexte enthalten eine ganze Reihe von Informationen, die Sie vielleicht nicht verstehen, von Wörtern, die Sie nicht kennen. Da dieses Problem beim Aufenthalt in einem fremden Land immer wieder auftaucht, haben wir es auch in diesem Programm berücksichtigt. Wir möchten Sie dazu führen, daß Sie nicht bei den Informationen und Wörtern „hängen" bleiben, die Ihnen fremd sind, sondern sich auf die Textteile konzentrieren, die Sie aufnehmen können. Beachten Sie: Hörverstehen baut sich nicht (nur) auf aus einer Fülle von Wörtern und Details, sondern von „oben", d. h. von Gliederungspunkten des Textes, von den wichtigen Sprechabsichten des Autors her.
- Hörverstehen ist ein sehr komplexer Prozeß. Im Lehrbuch von *Wege* haben wir das Hörverstehen von Texten in den Mittelpunkt gestellt; im Arbeitsbuch dagegen werden Teilfertigkeiten dieses Prozesses isoliert geübt: Speichern, Antizipieren, Selegieren und – als Ergänzung – das richtige Sprechen.

## „Produktion"

Jeder Lektionsteil enthält vielerlei Aufforderungen, zu sprechen oder zu schreiben: In der Vorbereitungsphase, wo Sie von Ihren Erfahrungen ausgehen, Ihr Vorwissen sammeln, oder auch in der weiterführenden Phase, wo Sie Aussagen des Textes relativieren oder kommentieren sollen. Daneben gibt es aber auch eine Reihe Lektionen, die Ihnen für die Verbesserung Ihrer mündlichen und schriftlichen Ausdrucksfähigkeit besondere Hilfen anbieten: Einzelschritte werden aufgezeigt, wie Sie z. B. Schaubilder, Tabellen, Diagramme zu einem Text verarbeiten – oder wir bitten Sie, Geschichten und Erzählungen zu schreiben, Ihre Phantasie zu gebrauchen, weil dadurch oft direkt Wege zur fremden Sprache gefunden werden können.

## Lexik

Im Lehrbuch werden Ihnen zahlreiche Redemittel für verschiedene Sprechabsichten präsentiert. Wir empfehlen Ihnen, diese Wörter und Wortgruppen häufig zu wiederholen (u. U. mit Hilfe einer Wortkartei, die Sie anlegen müßten). Ferner enthält *Wege* – vor allem im Arbeitsbuch – zahlreiche Ausführungen und Übungen zur Wortbildungslehre. Sie werden an mehreren Stellen gebeten, die Bedeutung von Wörtern oder Begriffen zu klären. Sie können dies versuchen mit Hilfe von Beispielen, Umschreibungen, Synonymen und Antonymen. Fachausdrücke sollten definiert werden.

## Grammatik

Die Grammatikteile des Lehrbuchs sollen in erster Linie dem Textverständnis dienen. Im Arbeitsbuch werden ausgewählte Kapitel der Grundstufengrammatik wiederholt. Zur Mittelstufengrammatik finden Sie in Lehr- und Arbeitsbuch zahlreiche Übungen, meistens mit kurzen Erklärungen. Die Systematisierung erfolgt in der Referenzgrammatik.

## Sozialformen des Lernens

Viele Aufgaben des Lehrbuchs *Wege* enthalten Hinweise darauf, daß Sie mit einem Partner / einer Partnerin oder in einer Gruppe arbeiten sollen, da schwierigere Übungen gemeinsam leichter zu bewältigen sind.

## Zeichenerklärung:

Im Lehrbuch finden Sie häufig Verweise dieser Art: ▷ *AB S. 19*. Dies bedeutet, daß Sie auf Seite 19 des Arbeitsbuches Hinweise oder Übungen finden, die den Stoff des Lehrbuchs ergänzen oder vertiefen. Im Arbeitsbuch finden Sie Hinweise dieser Art: ⎡11 **B**⎤ am Rand der Seiten. In diesem Fall werden Sie darauf verwiesen, daß die Übung, an der Sie gerade arbeiten, inhaltlich und/oder grammatisch zum Teil B der Lektion 11 des Lehrbuchs gehört. Außerdem stehen in Lehr- und Arbeitsbuch an vielen Stellen Verweise auf die Paragraphen (§) der Referenzgrammatik *(Mittelstufen-Grammatik)*, wo Sie weitere Erklärungen finden; z. B. ▷ *RG §§ 43–48* für Verweise im Lehrbuch, ⎡**§§ 51 f.**⎤ für Verweise im Arbeitsbuch.

## Entschuldigung

Zum Schluß möchten wir uns noch bei allen Lehrerinnen und Kursteilnehmerinnen dafür entschuldigen, daß wir uns in den Arbeitsanweisungen oft auf die maskuline Form (Lehrer, Partner, ...) beschränkt haben. Wir glaubten, die Aufgabenstellungen dadurch lesbarer zu machen und Umständlichkeiten in der Formulierung zu vermeiden.

# Inhalt

# Lektionen 1 – 4

## Themenbereich
### Im fremden Land:
Impressionen,
Orientierung, Information

# 1 | *Ankunft und erste Eindrücke*

## A. Vorstellungen und Erwartungen

Zu welchem Zweck und mit welchen Vorstellungen kommen Ausländer in die Bundesrepublik Deutschland?

Suleman Taufiq

### Die Frage

vor neun jahren kam ich in diese stadt, /
$\qquad$ in diese neue welt
ich kam allein, ohne begleitung
in meinem kopf nur paar fragen
aber eine besondere frage verfolgte mich
und verfolgt mich immer noch
begleitet mich bei allen sachen, die ich tue
schläft mit mir, ißt mit mir, trinkt mit mir
nur eine frage und nicht mehr verfolgt mich
wer bist du?
wer bist du hier in dieser stadt, in diesem land, /
$\qquad$ in dieser neuen welt

*Aus: Im neuen Land, Bremen 1980*

*Dragutin Trumbetas: Ismet ist allein*

## B. Michèle Dupire: Ihr Deutschen seid etwas erstaunlich

### Vorlaufphase

**1**

> Bei der Lektüre eines Textes sind Titel, Untertitel und Angaben über den Verfasser erste Orientierungshilfen.

Lesen Sie Titel und Untertitel des Textes, der auf Seite 11 beginnt, und beachten Sie auch den „Kopf" und das Druckbild. Beantworten Sie danach die folgenden Fragen:

– Woher stammt der Text?
– Welches Thema behandelt er?
– Worüber könnte die Verfasserin aufgrund ihres Berufs schreiben?

**2**

Was denken Sie über das Thema des Textes? Halten Sie die Deutschen auch für „etwas erstaunlich" oder würden Sie etwas anderes sagen? Notieren Sie die geäußerten Meinungen.

## Leseverstehen

**3**

Lesen Sie den Text zuerst nur bis Zeile 35. Stellen Sie sich dann gegenseitig möglichst viele Fragen mit
Wer? Was? Wie viele? Wohin? Woher? Wo? Wie lange? Wie? Welche? Von wem? über diesen Teil des Textes.

> Beim orientierenden Lesen versucht der Leser herauszufinden, ob der Text Informationen enthält, die ihn interessieren.

Wählen Sie unter den folgenden Themen diejenigen aus, die Sie interessieren:

- das deutsche Bier, der Karneval, die deutsche Disziplin,
- das deutsche Essen, die deutsche Musik, der Fußball,
- die deutsche Literatur, der Verkehr, die Polizei,
- die deutschen Städte, das Benehmen der deutschen Schüler,
- die Ausstattung der Schulgebäude, die deutsche Familie,
- die Organisation des Schulsystems

**4**

Stellen Sie fest, ob der zweite Teil des Textes (Z. 36–133) Informationen zu diesen Themen enthält.

Wenn Sie welche finden, unterstreichen Sie sie bitte.

# DIE ZEIT

## „Ihr Deutschen seid etwas erstaunlich" *astonishing*

*sketch*

Aufzeichnungen einer französischen Deutschlehrerin

Von Michèle Dupire

Eine Woche ihrer Ferien nutzten 32 französische Schüler aus Amiens Ende Februar zu einer Reise ins Ruhrgebiet. Jeder kam auf Einladung einer deutschen Familie, die sich bereit erklärt hatte, 5 eine Woche lang einen französischen Jugendlichen aufzunehmen. Das Angebot war so groß, daß wir gar nicht alle Einladungen annehmen konnten.

Jeder trug in der Hand einen Koffer voll 10 Sachen, als ob er in die Wüste fahren würde, und im Kopf ein ganzes Paket von Vorurteilen: Die meisten fuhren zum erstenmal nach Deutschland und also . . . ins Ungewisse.

Um auf alle Fälle überleben zu können, 15 fragten die Schüler vor dem Aussteigen noch ganz schnell nach den notwendigsten Vokabeln, wie: „Ich habe Hunger, ich habe Durst." Und wie eigentlich sollte man sich auf dem Bahnsteig begrüßen: Sollte man sich küssen, 20 nach französischer Sitte? Oder war das unangebracht?

Die erste Gruppe stieg in Duisburg aus. Die Lehrerin, die mit den Gastgebern auf dem Bahnsteig wartete, hatte kaum Zeit, die Namen auf der Liste vorzulesen: im Nu hatten 25

▷

die deutschen Familien sich auf „ihren" Franzosen gestürzt, wobei die Franzosen ihren eingeübten Begrüßungssatz ganz und gar vergaßen. Drei Minuten später stand die nette Lehrerin allein auf dem Bahnsteig, die Blumen aus Paris in der einen Hand, die Liste in der anderen.

Die zweite Gruppe stieg in Essen aus: dieselbe Prozedur...

Die Schüler erlebten dann ein Erstaunen nach dem anderen: Sie waren erstaunt über die großen bequemen Autos, über den Komfort der Häuser und gerührt von der Liebenswürdigkeit ihrer Gastgeber. Und sie gingen alle hundemüde ins Bett, das ihnen das letzte Erstaunen des anstrengenden Tages bereitete: Wie sollte man in diesem seltsamen Federbett schlafen?

Das nächste Erstaunen folgte für viele am nächsten Morgen, als sie durch die Fenster hinaussahen: Es lagen unter ihnen Bäume, Rasen, Wälder, so viel Grün und gar nicht so viel Industrie und Umweltverschmutzung, wie man es im Ruhrgebiet erwarten könnte.

Einzelheiten, die den Schülern später bei den vielen Besichtigungen auffielen: Viele Papierkörbe stehen auf den Bürgersteigen, die Deutschen lassen keine Zigarettenstummel fallen, die Fußgängerzonen sind sehr angenehm und die Städte sehr sauber, die Häuser schön bemalt, die Autofahrer vorsichtig und diszipliniert, die Straßenbahnen sehr bequem, und an den Kreuzungen gibt es manchmal Spiegel...

Begeistert waren sie vom Karneval: Daß sich da jeder amüsiert; daß vom Baby im Kinderwagen bis zum Opa alle verkleidet waren; daß die ganze Bevölkerung mitmacht. Und die unseren hatten sich schließlich auch verkleidet und fanden das toll (vor der Abfahrt wollten sie nicht). Sie kamen auch auf verschiedene Partys, wo es meistens sehr schön war, und sie fanden, daß so ein Karneval in Frankreich eingeführt werden sollte.

Erstaunt waren unsere Schüler über die Schönheit der Schulgebäude, ihre Sauberkeit, erstaunt über die fast luxuriöse Ausstattung, zum Beispiel die Tafeln, die sich verschieben lassen, die Waschbecken in jedem Klassenzimmer, die Fernsehapparate, die die Experimente der Lehrer in den technischen Fächern wiedergeben, damit alle Schüler folgen können... Es war in dieser Hinsicht, mit unserer Schule verglichen, ein Paradies.

Um so mehr erstaunt waren unsere Schüler über das Benehmen der deutschen Schüler im Unterricht. Sie glaubten ihren Augen nicht, als sie Mädchen sahen, die mitten im Unterricht ihr Strickzeug hervorholten, als sie sahen, daß Schach gespielt wurde, daß man sich unterhielt oder aß, während der Lehrer sprach. Es waren ganz andere Unterrichtsstunden als bei uns; es wurde viel mit dem Lehrer diskutiert und es wurden wenig Notizen gemacht (im Gegensatz zu Frankreich, wo die Schüler immer den Stift in der Hand haben), eigentlich insgesamt sehr gemütliche Stunden.

Die unseren beneiden die Organisation des deutschen Schulsystems: Man braucht die Straßenbahn oder den Bus für die Fahrt zur Schule nicht zu bezahlen, Unterricht findet nur am Vormittag statt, was viel freie Zeit läßt für die Lieblingsbeschäftigungen. Aber der Gesamteindruck, daß es im Unterricht doch zu lasch zugeht. Die Lehrer, bis auf ein paar, die Disziplin verlangten, seien zu gutmütig, meinten die Schüler. Das berühmte Klischee von deutscher Disziplin bröckelte hier ab, und irgendwie waren die unseren darüber enttäuscht und reagierten ablehnend (was erstaunlich ist, wenn man sie im Alltag des französischen Schulsystems kennt).

Auch an der deutschen Familie entdeckten unsere Schüler einiges, was sie erstaunte: Die deutsche Familie geht gern alle Mann hoch spazieren (was von den Franzosen als Trimmdich-Pfad empfunden wurde); die Eltern lassen den Kindern erstaunlich viel Freiheit, lassen die Jugendlichen ohne Sorge in Diskotheken gehen (überhaupt die Tatsache, daß es Diskotheken für Jugendliche gibt, fanden die Franzosen gut); in einigen deutschen Familien wird vor dem Essen laut gebetet; insgesamt ist die deutsche Familie sehr einig.

Das Essen fanden unsere Schüler seltsam, aber gut. Erstaunlich, daß es zugleich süß und sauer sein kann (wie der Salat). Daß es morgens Wurst zu essen gibt. Daß die Eierschalen weiß sind (bei uns sind sie gelb bis braun) Daß gern scharf gegessen wird.

Der Tag der Rückfahrt war ein tränenreicher Tag. Die Mädchen weinten, die Jungen schwiegen. Es wurden Kontakte geknüpft und Freundschaften geschlossen. Es soll ja ohne die Lehrerin weitergehen. Alle waren sie ein bißchen erwachsener geworden.

*Michèle Dupire ist Deutschlehrerin am Lycée Louis Thuillier in Amiens*

Erklärungen

Amiens: nordfranzösische Stadt, 118 000 Einwohner, wichtigster Bahnknotenpunkt Nordfrankreichs, Textilindustrie, berühmte gotische Kathedrale (13.–15. Jahrhundert)

Ruhrgebiet: bedeutender deutscher Industriebezirk, industrieller Kernraum des Wirtschaftsgebietes Rhein-Ruhr und des Landes Nordrhein-Westfalen

Duisburg: Industriestadt in Nordrhein-Westfalen, 560 400 Einwohner, größter Binnenhafen der Erde

Essen: größte Stadt des Ruhrgebietes, 654 900 Einwohner, Kohlebergbau, Eisen- und Stahlindustrie

die Prozedur: das Verfahren, der Ablauf

gerührt: hier: innerlich bewegt

hundemüde: sehr müde

abbröckeln: hier: langsam abgebaut werden

alle Mann hoch: alle zusammen

der Trimm-Dich-Pfad: ein Weg, auf dem man läuft und in bestimmten Abständen gymnastische Übungen macht

## 5
Geben Sie bitte die Informationen, die Sie gefunden haben, in kurzen Hauptsätzen wieder.

## 6
Vergleichen Sie Ihre vor der Textlektüre gesammelten Meinungen über die Deutschen mit den Aussagen der französischen Schüler. Hat Sie etwas überrascht?

## 7
Warum waren die französischen Schüler von ihrem Aufenthalt in der Bundesrepublik so begeistert? Woran liegt es wohl, daß andere Ausländer (z. B. Arbeitnehmer, Studenten) sehr viel schlechtere Erfahrungen machen?

## 8
Nehmen Sie an, ein deutscher Schüler kommt in Ihre Heimat oder Ihre Heimatstadt. Was würde er dort wohl erstaunlich finden?

## 9
Die französischen Schüler haben viele Dinge erstaunlich gefunden. *finden* in dieser Bedeutung gehört zu den

### Verben des Urteilens

● finden
Das Essen fanden sie seltsam.
Sie fanden, *daß* so ein Karneval auch in Frankreich eingeführt werden sollte.
finden + Akk. + Adj.
finden, daß . . .

● empfinden
Sie empfanden das *als* Trimm-dich-Pfad.
Die Lehrerin empfand die Begrüßung *als* herzlich
empfinden + Akk. + als + $\left\{ \begin{array}{l} \text{Akk.} \\ \text{Adj.} \end{array} \right.$

Übung

Verwenden Sie die Verben *finden* und *empfinden*.

Beispiel: Die Federbetten waren seltsam.
Die Schüler fanden . . .

Lösung: Die Schüler fanden die Federbetten seltsam.

1. Die Gastgeber waren liebenswürdig.
   Die Gäste empfanden . . .
2. Der Unterricht war recht gemütlich.
   Die französischen Schüler empfanden . . .
3. Die deutschen Schulgebäude waren ein Paradies.
   Sie empfanden . . .
4. Das Benehmen der deutschen Schüler war erstaunlich.
   Sie fanden . . .
5. Die Ausstattung der Klassenzimmer war luxuriös.
   Sie empfanden . . .

6. Der Karneval war aufregend.
   Sie fanden ...
7. Die Erziehung war sehr liberal.
   Sie empfanden ...

8. Man sollte die Kontakte fortsetzen.
   Sie fanden, daß ...
   ▷ *RG §§ 129, 131, 317–318*
   ▷ *AB S. 8, 9*

## C. Ein jordanischer Student erzählt

### Vorlaufphase

**1**
Welche Gründe (Motive) können dazu führen, daß ausländische Studenten in der Bundesrepublik Deutschland studieren?

### Hörverstehen

Im folgenden Text berichtet ein jordanischer Student

– über seine Motive für ein Studium in Deutschland (Teil 1),
– über seine Ankunft in Deutschland (Teil 2) und
– über die Aufnahme seines Studiums (Teil 3).

**2**
Lesen Sie die folgenden Multiple-choice-Aufgaben (zu Teil 1) aufmerksam durch. Fragen Sie Nachbarn oder den Lehrer nach unbekannten Vokabeln.

Der Student will in Deutschland studieren, weil er

☐ in arabischen Ländern nicht studieren durfte;

☐ eine neue Gesellschaftsordnung kennenlernen wollte;

☐ sich ausschließlich für Deutschland interessierte;

☐ nur für Deutschland eine Zulassung bekam.

Der Student hatte über Deutschland

☐ genaue Informationen;

☐ unbestimmte Vorstellungen;

☐ völlig falsche Vorstellungen.

**3**
Hören Sie nun Teil 1 und kreuzen Sie beim ersten oder zweiten Hören die richtigen Lösungen an.

☐▭▭

**4**
Nehmen Sie an, der Student würde in einem Gespräch mit Ihnen die eben gehörten Meinungen über Deutschland äußern.

Würden Sie ihm zustimmen können?
Wo würden Sie ihm widersprechen?

**5**
Hören Sie Teil 2.

☐▭▭

Zählen Sie die einzelnen Punkte auf, über die der Student spricht.

Beginnen Sie den Satz mit:
Der Student spricht über
– seine Erwartungen;
– seinen Abschied;
– ...

**6**

Zu Teil 3 sollen Sie Fragen beantworten. Lesen Sie diese vor dem Hören.

– Welches Studienziel hatte der Student, als er nach Kiel kam?
– Was steht im Text über das Fächerangebot an einer deutschen Universität?
– Warum studiert der Student Geophysik?
– Wo bekommt er genaue Informationen über sein Studienfach?

**7**

Hören Sie Teil 3.

Beantworten Sie jetzt die in Aufgabe 6 gestellten Fragen schriftlich.

Sie sollen nun in der Diskussion mit Kommilitonen oder dem Lehrer feststellen, ob ihre Antworten inhaltlich und sprachlich richtig sind.

Beachten Sie dabei folgende Gesichtspunkte:

● Ist die Frage selbst richtig verstanden (analysiert)? Beachten Sie die Bedeutung des Frageworts!
● Falls die Frage sich auf den Text bezieht: ist (sind) die Textstelle(n) gefunden, die die Frage am genauesten und vollständig beantwortet (beantworten)?
● Haben Sie Wörter der Textstelle, die für die Beantwortung der Frage nicht notwendig sind, weggelassen? Beachten Sie: Ihre Antworten sollen so ausführlich wie nötig, so kurz wie möglich sein!
● Ist der Antwortsatz grammatisch richtig formuliert? Die Textstelle muß manchmal umformuliert werden, damit sie in die Grammatik des Satzes paßt.

▷ *AB S. 10–14*

# D. Eichendorff (1788–1857): „Wer in die Fremde will wandern"

## Leseverstehen

**1**

1826 veröffentlichte Joseph von Eichendorff die Novelle „Aus dem Leben eines Taugenichts", der dieses Gedicht entnommen ist.

**2**

Lesen Sie die vier Strophen dieses Gedichts.

**3**

Sprechen Sie über Eichendorffs Gedicht: über den Inhalt und seine poetische Sprache.

Wer in die Fremde will wandern,
Der muß mit der Liebsten gehn,
Es jubeln und lassen die andern
Den Fremden alleine stehn.

Was wisset ihr, dunkele Wipfeln,
Von der alten schönen Zeit?
Ach, die Heimat hinter den Gipfeln,
Wie liegt sie von hier so weit.

Am liebsten betracht ich die Sterne,
Die schienen, wenn ich ging zu ihr,
Die Nachtigall hör ich so gerne,
Sie sang vor der Liebsten Tür.

Der Morgen, das ist meine Freude!
Da steig ich in stiller Stund'
Auf den höchsten Berg in die Weite,
Grüß dich Deutschland aus Herzensgrund!

# 2 | *Wege und Ziele*

## A. Mit Hilfe des Stadtplans Wege finden

**1**

Lesen Sie das Straßenverzeichnis und suchen Sie die Straßen auf dem Plan.

### Straßenverzeichnis

Breitscheidplatz   cd **3**
Budapester Straße   d **3**–f **4**
Hardenbergplatz   c **4**
Hardenbergstraße   b **4**–c **3**
Jebensstraße   c **4**
Kantstraße   a **4**–c **3**
Knesebeckstraße   a **2**–**4**
Schaperstraße   b **1**–c **2**

**2**

Suchen Sie nun folgende Gebäude auf dem Plan:

Aquarium: Budapester Straße 32
Bahnhof Zoologischer Garten: Hardenbergplatz
Kino Lupe 1: Knesebeckstraße 38
Kaiser-Wilhelm-Gedächtniskirche: Breitscheidplatz 30
Kunstbibliothek: Jebensstraße 2
Hochschule der Künste: Hardenbergstraße 41
Staatliche Kunsthalle Berlin: Budapester Straße 44
Theater der Freien Volksbühne: Schaperstraße 24
Theater des Westens: Kantstraße 12
Verkehrsamt: Europa-Center, Breitscheidplatz

**3**

Sie stehen an der Ecke Kurfürstendamm-Uhlandstraße. Fragen Sie Ihren Nachbarn nach dem Weg zu einem der genannten Gebäude. Er beschreibt ihn so genau wie möglich.

Sie können folgende Redemittel verwenden:

| A | Verzeihung. Entschuldigung. | Wie komme ich zum/zur …? |
|---|---|---|
| | Können Sie mir bitte sagen, wie ich zum/zur … komme? | |

| B | Gehen Sie | geradeaus/zurück/die erste links/die zweite rechts |
|---|---|---|
| | Fahren Sie | an dem/der/den … vorbei/die … straße entlang/über den … platz/die … straße |
| | Biegen Sie | in die … Straße ein. nach links ab. |
| | Steigen Sie | in den Bus Nr. … /in die U-Bahn Linie … an der ersten Haltestelle aus. |

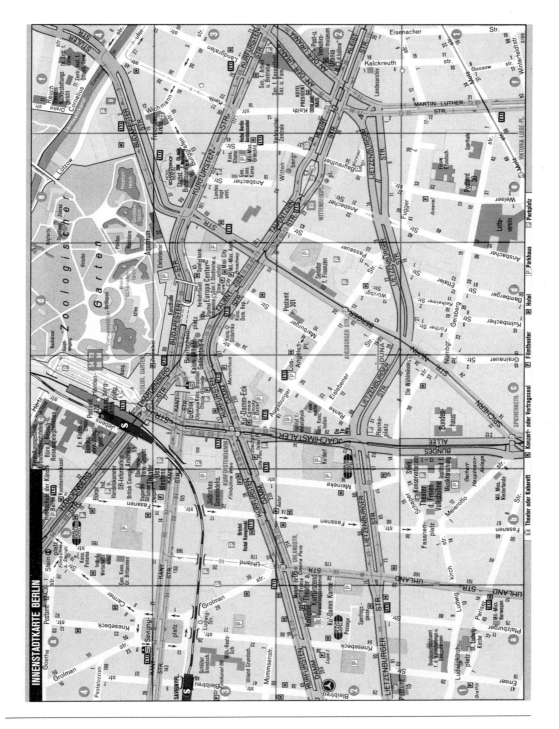

# B. Daxing Chen: Gnädige Frau

## Leseverstehen

»Gnädige Frau, erlauben Sie mir, mich bei Ihnen zu erkundigen, wie gehe ich, wenn ich nach P... Psch... Pschörrstraße gehen möchte?«

»Wie meinen Sie?« Die Dame, die ich frage, zeigt im ersten Moment eine ganz verwirrte und hilflose Miene. Ich bin schon einen Monat hier. Heute möchte ich meinen Bekannten in dieser P..., ja Psch...örrstraße besuchen. Aber als ich aus der U-Bahn-Station herausgekommen bin, habe ich die Orientierung total verloren. Es ist ganz anders als in meiner Heimatstadt, wo alles symmetrisch eingerichtet ist. Mein Stadtplan hat mir auch nicht viel helfen können, weil ich nicht einmal weiß, wo ich bin. So bin ich auf die Idee gekommen, diese vorbeigehende Dame zu fragen. Dazu habe ich gar keine Hemmungen, weil ich mich in allen deutschen Frageformen gut auskenne.

»Ich meine, gnädige Frau, wie begebe ich mich zur Pschörrstraße?« Die Dame sieht mich ungläubig an, ohne mir eine Antwort zu geben. Ich wundere mich, warum diese Dame mein buchstäblich korrektes Deutsch nicht verstehen kann!

»Ach, Sie wollen zur Pschörrstraße?« sagt sie schließlich. Sie macht eine ganz ernste Miene, »gnädiger Herr, gestatten Sie mir, auf Ihre Frage einzugehen. Sie mögen bitte die nächste Straßenkreuzung überqueren und dann nicht nach rechts, sondern nach links abbiegen, so werden Sie in zehn Minuten an Ihrem Ziel sein.«

Ein Gefühl voller Stolz erfüllt mich: Schon auf Anhieb ist es mir mit den deutschen Kenntnissen, die ich in meiner Heimat erworben habe, gelungen.

»Ha, ha, ha...« Ein schallendes Lachen hat mich aus meinem Glücksgefühl aufgeschreckt. Einige Passanten krümmen sich vor Lachen. Ich bin ganz verwirrt. Und sogar die Dame lacht mit! Worüber lachen sie denn? In meiner Heimat fragt man doch auf diese Art und Weise eine vornehme Fremde nach dem Weg, und außerdem steht das alles ganz korrekt in meinem Buch. Ich stehe fassungslos da und habe vergessen, wie ich zu dieser P... P...straße gehen soll.

Erklärung

auf Anhieb: beim ersten Versuch, sofort

**1**

Inwiefern spricht der Chinese richtig und doch falsch?

**2**

Übersetzen Sie das Auskunftsgespräch in moderne deutsche Umgangssprache.

**3**

Üben Sie Auskunftsgespräche. Sie rufen einen Kursteilnehmer an und laden ihn zu einer kleinen Party bei sich zu Hause ein. Erklären Sie ihm, wie er am besten zu Ihnen kommt.

**4**

Ein Freund schreibt Ihnen, daß er Sie besuchen und einige Tage bei Ihnen bleiben will. Er teilt Ihnen mit, wann er am Flughafen/Bahnhof ankommt, und bittet Sie, ihn abzuholen, da er die Stadt nicht kennt. Leider haben Sie an diesem Tag keine Zeit. Schreiben Sie ihm, aus welchem Grund Sie keine Zeit haben, und beschreiben Sie ihm, wie er mit öffentlichen Verkehrsmitteln und/oder zu Fuß zu Ihrer Wohnung kommen kann, denn ein Taxi kann sich Ihr Freund nicht leisten.

▷ *AB S. 23*

## C. Franz Kafka: Gib's auf!

### Vorlaufphase

**1**

Erklären Sie die verschiedenen Bedeutungen des Verbs *aufgeben*.
Lesen Sie die Angaben zu *aufgeben* in einem einsprachigen Wörterbuch.
Bilden Sie Sätze mit *aufgeben* und ersetzen Sie das Verb durch Synonyme.

**2**

Kennen Sie eine Erzählung/einen Roman von Franz Kafka?
Kennen Sie Daten seiner Lebensgeschichte?
Wenn ja, berichten Sie darüber.

**3**

Welche deutschen Lexika benutzen Sie, wenn Sie etwas über Kafka erfahren wollen?
Wo finden Sie eine erste Auskunft? Wo genauere Informationen?

**4**

Hinweise für das Verständnis eines Lexikonartikels

Ein Lexikonartikel ist schwierig zu lesen, weil er
- Abkürzungen enthält;
- in Kurzsätzen geschrieben ist (oft fehlt das Prädikat);
- u. U. Ihnen unbekannte Fachausdrücke enthält.

- Fragen Sie, was die Abkürzungen bedeuten.
- Machen Sie – zum besseren Verständnis – aus den Kurzsätzen ganze Sätze, z. B. mit Hilfe des Hilfsverbs *sein;* oder, indem Sie von einem Substantiv ein Verb ableiten.
- Fragen Sie nach unbekannten Fachausdrücken.

**5**

Versuchen Sie nun, aus folgenden (vereinfachten) lexikalischen Angaben ganze Sätze und einen Text zu machen.

**Franz Kafka,** geb. 1883 in Prag
Sohn eines jüdischen Händlers und seiner aus dem deutsch-jüdischen Bürgertum stammenden Frau
Studium der Germanistik, dann der Rechtswissenschaften
Promotion zum Dr. jur.
Anstellung bei der Arbeiter-Unfall-Versicherungsgesellschaft
1917 Ausbruch der offenen Tuberkulose
vorzeitige Versetzung in den Ruhestand
† 1924
Bekannteste Werke:
Die Verwandlung (1915)
Der Prozeß (erschienen 1925)
Das Schloß (erschienen 1926).

▷ *AB S. 24*

## Hörverstehen

**6**

Hören Sie den Text der kurzen Erzählung mit dem Titel *Gib's auf!*

Erklärung
der Schutzmann: der Polizist

**7**

Versuchen Sie, den Inhalt wiederzugeben und den unerwarteten Schluß zu erklären. Welche Bedeutung hat hier das Verb *aufgeben?*

**8**

Nehmen Sie jetzt den abgedruckten Text zur Hand (▷ *AB S. 245*) und lesen Sie ihn vor.

Mit Hilfe der folgenden Fragen können Sie ihn besser verstehen:

Wer erzählt?
Welches Gefühl vermittelt der Erzähler durch die Angaben im ersten Satz?
Wodurch wird seine Unsicherheit hervorgerufen?
Wie unterscheidet sich der Satzbau des zweiten von dem des ersten Satzes? Warum dieser Unterschied?
Interpretieren Sie den Satz: *Glücklicherweise war ein Schutzmann in der Nähe.*
Wie reagiert der Schutzmann?
Wie kann man das Lachen am Schluß dieser Geschichte erklären?

**9**

Sammeln Sie verschiedene Möglichkeiten für die Erklärung dieser Geschichte.

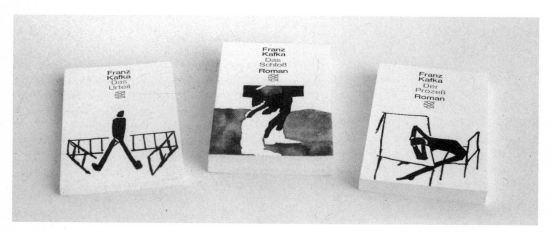

# 3 | *Im Hochschulbereich*

## A. Immatrikulation (Einschreibung)

### Vorlaufphase

**1**

Was wissen Sie über Zulassung und Immatrikulation an deutschen Hochschulen? Sammeln Sie in einem Gespräch und notieren Sie alle Informationen, die Sie darüber besitzen. Vergleichen Sie Ihr Vorwissen mit den Informationen des folgenden Textes.

### Leseverstehen

**2**

Lesen Sie den folgenden Text in Partner- oder Kleingruppenarbeit.

## Immatrikulation
(Einschreibung)

Mit der Zulassung zum Studium erhält der Studienbewerber das Recht, sich für ein bestimmtes Semester für ein oder mehrere Studienfächer an
5  einer bestimmten Hochschule zu immatrikulieren, d. h., sich an dieser Hochschule als Student einzuschreiben. Auf dem Zulassungsbescheid sind die Bedingungen und Formalitä-
10  ten angegeben, die bei der Immatrikulation erfüllt werden müssen. Wird die Zulassung z. B. von dem Bestehen einer Prüfung abhängig gemacht (Prüfung zur Feststellung der Hoch-
15  schulreife oder Prüfung zum Nachweis deutscher Sprachkenntnisse), so kann man erst immatrikuliert werden, wenn man die Prüfung bestanden hat.

Bei der Zulassung wird mitgeteilt, 20 bei welcher Stelle in der Hochschule man sich immatrikulieren kann. Die Universitätsämter haben unterschiedliche Bezeichnungen, wie z. B. Immatrikulationsamt, Studen- 25 tensekretariat oder (speziell für ausländische Studenten) Akademisches Auslandsamt.

Möglichst bald nach Ankunft am 30 Hochschulort sollte das Akademische Auslandsamt bzw. das Sekretariat aufgesucht werden, weil dort Hinweise und Informationen zu erhalten sind, die für den Studienbe- 35 ginn wichtig sind. (Beachtet werden sollten auch Anschlagtafeln [das Schwarze Brett], auf denen wichtige

▷

Informationen wie z. B. Einführungskurs, Veranstaltungen aller Art, aber auch Termine für Studienberatung, Öffnungszeiten der Universitätsämter angegeben sind.)

Die Studenten erhalten dort die Einschreibungsformulare (Antrag auf Einschreibung, Karteikarte oder ähnliches), die sie ausfüllen müssen. Außer diesen Formularen sind zur Immatrikulation die Unterlagen nötig, die auf dem Zulassungsbescheid angegeben sind, z. B. Original-Zeugnisse, Paßfotos, Gesundheitsbescheinigung, Nachweis der Krankenversicherung und anderes.

Wichtig ist außerdem, daß die Immatrikulationsfrist, die auf dem Zulassungsbescheid angegeben ist, eingehalten wird. Wenn man sich innerhalb dieser Frist nicht immatrikuliert hat, verfällt die Zulassung. Sollte es aus zwingenden Gründen nicht möglich sein, die Immatrikulationsfrist einzuhalten, erkundigt man sich nach einer eventuellen Nachfrist und gibt den Grund an, weshalb man sich verspätet einschreiben will.

Wenn alle im Zulassungsbescheid genannten Bedingungen erfüllt und die erforderlichen Unterlagen vollständig abgegeben sind, wird man immatrikuliert. Damit erhält man alle Rechte und Pflichten eines Studenten.

Mit der Immatrikulation erhält man das Recht, Lehrveranstaltungen des gewählten Studienfaches zu besuchen. Außerdem kann man die Universitätseinrichtungen in Anspruch nehmen, die allen Studenten offenstehen, wie z. B. die Universitätsbibliothek, soziale Einrichtungen und anderes. Man kann an akademischen Prüfungen teilnehmen, wenn die Voraussetzungen der Prüfungsordnungen erfüllt sind. Zu den Rechten gehört auch das aktive und passive Wahlrecht in der studentischen Selbstverwaltung.

*Aus: Der ausländische Student in der Bundesrepublik Deutschland. Das Studium an wissenschaftlichen Hochschulen, DAAD, Bonn o. J. S. 28 f.*

Erklärung: DAAD = Deutscher Akademischer Austauschdienst

# 3

Nennen Sie die Textstellen, die den folgenden Ausdrücken entsprechen, und geben Sie dabei die Zeilen an.

– Wenn man vor der Zulassung z. B. eine Prüfung bestehen muß, ...
– Die Universitätsämter haben verschiedene Namen ...
– Nachdem Sie am Hochschulort angekommen sind, sollten Sie so schnell wie möglich zum Akademischen Auslandsamt gehen, weil man dort wichtige Informationen bekommen kann.
– Wir empfehlen/raten Ihnen, auch auf die Anschlagtafeln zu achten.
– Wenn es aus wichtigen Gründen nicht möglich ist, ...
– Man kann die Universitätseinrichtungen benutzen, ...

**4**
Ordnen Sie die Sätze der folgenden Übung einander zu:

1. Wenn man zum Studium zugelassen ist, hat man das Recht,

2. Bei der Zulassung erfährt man, h, ê, j,

3. Für einen Studienbewerber, der sich einschreiben will, ist es ratsam, g, f, c

4. Wenn man eingeschrieben ist, hat man das Recht, k, a, ê, e

a) die Universitätsbibliothek zu benutzen.
b) sich für ein Semester zu immatrikulieren.
c) möglichst bald zum Akademischen Auslandsamt zu gehen.
d) wo man sich immatrikulieren kann.
e) Lehrveranstaltungen des gewählten Studienfachs zu besuchen.
f) die Anschlagtafeln zu beachten.
g) sich an einer bestimmten Hochschule zu immatrikulieren.
h) welche Bedingungen und Formalitäten bei der Immatrikulation erfüllt werden müssen.
i) sich für ein oder mehrere Studienfächer einzuschreiben.
j) wann man sich immatrikulieren muß.
k) in der studentischen Selbstverwaltung zu wählen und gewählt zu werden.

Lösung: Z. B. 1 b und . . . 2 . . . 3 . . . 4 . . .

**5**
Will der Autor dieses Textes raten, informieren, eine Meinung äußern oder mehreres zugleich? Nennen Sie die Textstellen, an denen seine Absicht zu erkennen ist.

**6**
Für wen ist der Text geschrieben? Woran kann man das erkennen? Beachten Sie auch, woher der Text stammt und wer ihn veröffentlicht hat.

> Bei der Einordnung und Beurteilung eines Textes hilft oft die Quellenangabe, die darüber informiert, wo, wann und von wem ein Text veröffentlicht worden ist.

**7**
Der Text enthält wichtige Informationen, die man gut verstehen muß. Deshalb werden die Informationen durch Erklärungen und Beispiele erweitert.

> ● Erklärungen findet man oft in Relativsätzen. Sie werden auch durch *d. h. = das heißt* und *d. i. = das ist* eingeführt.
> ● Außerdem werden Synonyme (Wörter mit gleicher oder ähnlicher Bedeutung) als Verständnishilfen benutzt.
> ● Beispiele werden durch *z. B. = zum Beispiel* eingeführt. Man findet sie – wie die Synonyme – auch in Klammern () [].

**8**

Nennen Sie die Textstellen, an denen Erklärungen, Synonyme oder Beispiele zu finden sind. Geben Sie bitte die Zeilen an.

**9**

Zwei Funktionen von *sollte* (Konjunktiv II):

a) Möglichst bald nach Ankunft am Hochschulort sollte das Akademische Auslandsamt aufgesucht werden. Beachtet werden sollten auch Anschlagtafeln, . . .

b) Sollte es aus zwingenden Gründen nicht möglich sein, die Immatrikulationsfrist einzuhalten, erkundigt man sich nach einer eventuellen Nachfrist . . .

In den beiden Sätzen unter a) drückt *sollte* einen Rat oder eine Empfehlung aus. Im Beispiel unter b) leitet es einen konditionalen Nebensatz ein und bedeutete soviel wie *wenn* oder *falls*.

▷ *RG § 372*
▷ *AB S. 34*

**10**

Silbenrätsel zum Wortschatz des Textes „Immatrikulation"

Bilden Sie aus den Silben die gesuchten Begriffe. Sie dürfen jede Silbe nur einmal verwenden.

aka – amt – ~~an~~ – an – aus – be – be – be – ber – bung – de – dien – dien – dien – ein – fach – ~~fel~~ – frist – frist – im – kre – ku – la – lands – las – lehr – ma – me – mi – nach – ra – riat – scheid – sches – ~~schlag~~ – schrei – se – se – stal – ster – stu – stu – stu – sungs – ~~ta~~ – ta – tions – tri – tung – tung – ver – wer – zu

1. Schwarzes Brett _____*Anschlagtafel*_____
2. Zeit, innerhalb der sich der Studienbewerber an der Hochschule einschreiben muß

   _____
3. Benachrichtigung über die Zulassung zum Studium _____
4. Dadurch wird der Studienbewerber ordentlicher Student _____
5. Einrichtung der Hochschulen, die die ausländischen Studenten betreut _____

   _____
6. Bewerber um einen Studienplatz _____
7. Z. B. Vorlesung, Übung, Seminar _____
8. Verwaltungsstelle an der Universität, bei der u. a. die Einschreibung vorgenommen wird _____
9. Beratung zur Organisation eines bestimmten Studienganges _____
10. Studienhalbjahr _____
11. Verlängerung der Immatrikulationsfrist _____
12. Fachgebiet, das man studiert _____

_____

# B. Lebenslauf

Einen Lebenslauf muß man bei der Zulassung, bei einem Stipendienantrag oder bei der Bewerbung um eine Arbeitsstelle vorlegen. Man unterscheidet zwischen tabellarischem und ausführlichem Lebenslauf.

## 1
Muster eines tabellarischen Lebenslaufs

```
Zaimba Berrada, geb. am 5.12.1962 in Meknes, Marokko

Schulbildung
1969 - 1973   École primaire (Grundschule) in Meknes
1973 - 1981   Lycée Mohamed V (Gymnasium) in Casablanca
Mai 1981      Baccalauréat (Abitur)
März 1982     Großes Deutsches Sprachdiplom am Goethe-Institut
              Casablanca


Berufsausbildung
1982 - 1985   Studium der Germanistik an der Université de Paris X,
              Nanterre
              Abschluß: Licence d'Allemand
1985 - 1989   Studium der Germanistik, Romanistik (Französisch und
              Spanisch) an der Johannes Gutenberg-Universität Mainz
              Abschluß: Magister Artium


Berufstätigkeit
1982 - 1984   Französischunterricht an einem privaten Fremdsprachen-
              institut, Paris
seit WS       sechsstündiger Lehrauftrag für Französisch
1986/87       für Hörer aller Fachbereiche an der Sprachlehranlage
              der Johannes Gutenberg-Universität Mainz
```

## 2
Schreiben Sie Ihren eigenen Lebenslauf nach dem vorgegebenen Muster.

## 3
Muster eines ausführlichen Lebenslaufs

Im Unterschied zum tabellarischen Lebenslauf wird der ausführliche Lebenslauf oft mit der Hand geschrieben. Warum wohl? Schreiben Sie Ihren eigenen ausführlichen Lebenslauf, indem Sie unter den Redemitteln (S. 26) diejenigen auswählen, die auf Sie zutreffen.

Notieren Sie Ihren beruflichen Werdegang bis zum jetzigen Zeitpunkt. Erwähnen Sie auch besondere Kenntnisse, die für den Adressaten von Bedeutung sein könnten.

## Lebenslauf / Curriculum vitae

Ich, _____ , wurde am _____
(Vor- und Familienname)                                                (Geburtsdatum)

als Sohn / Tochter des _____ und der
(Name des Vaters)

_____ , geb. _____ , in
(Name der Mutter)                            (Mädchenname der Mutter)

_____ geboren. Ich bin ledig /verheiratet/
(Geburtsort und -land)

geschieden / verwitwet und habe _____ Kind(er).

Von 19___ – ____ besuchte ich die Grundschule und von

19___ – ____ das Gymnasium / die Realschule / eine Fach-

schule. Im Jahre 19___ wechselte ich von der _____-Schule

auf die _____-Schule. 19___ legte ich das Abitur ab.

19___ begann ich, _____ an der Universität
                         (Fach)

in _____ zu studieren. Von 19___ – ____
(Ort)

unterbrach ich mein Studium wegen _____ .
                                            (Grund)

19___ wechselte ich die Fakultät. Neben meinem Studium

arbeitete ich von 19___ – ___ als _____ .
                                         (Art der Tätigkeit)

19___ legte ich das Staatsexamen ab / erhielt ich das Diplom /

wurde ich zum Dr. _____ promoviert. Von 19___ – ____

absolvierte ich ein Praktikum bei _____ /
                                            (Name der Firma)

an _____ . Meine berufliche Tätigkeit begann
(Name des Instituts, der Klinik)

ich 19___ als _____ bei der Firma
               (Stellung)

_____ . 19___ wurde ich befördert / nach
(Name)

_____ versetzt / wechselte ich die Stelle.
(Ort)

Zur Zeit . . .

# C. Auskunft für Juan Morales

## Vorlaufphase

### 1

Lesen Sie mit Hilfe des Lehrers folgenden Text:

> „Ausländische Studienbewerber, deren Vorbildungsnachweis im Heimatland ein Studium in der angestreben Studieneinrichtung ermöglicht, aber nicht mit einem deutschen Abiturzeugnis vergleichbar ist, müssen sich vor der Aufnahme des Fachstudiums der Prüfung zur Feststellung der Eignung ausländischer Studienbewerber für die Aufnahme eines Studiums an Hochschulen der Bundesrepublik Deutschland ... unterziehen."

*Aus der Rahmenordnung für ausländische Studienbewerber.*

Unter die Studenten, die vor Aufnahme ihres Fachstudiums eine Prüfung (in Deutsch und drei weiteren, für das Fachstudium wichtigen Fächern) ablegen müssen, fällt auch Juan Morales aus Peru. Er hat von der Universität einen Studienplatz für das Fach Wirtschaftswissenschaften zugesagt bekommen und gleichzeitig den Hinweis erhalten, daß er aber vorher „die Prüfung zur Feststellung der Eignung ausländischer Studienbewerber" ... ablegen müsse. Es werde empfohlen, für die Vorbereitung auf diese Prüfung die entsprechenden Kurse des Studienkollegs zu besuchen, die in der Regel zwei Semester dauerten.
Weil die Fachkurse von Anfang an in deutscher Sprache geführt werden, muß der Student beim Eintritt in das Studienkolleg über gute Grundkenntnisse des Deutschen verfügen. Dies wird in einem Aufnahmetest festgestellt. Herr Morales hat an diesem Test teilgenommen, ihn bestanden, ist dann aber krank geworden. Er bittet seinen deutschen Freund Hanno, für ihn am Sekretariat des Studienkollegs anzurufen. Er weiß noch nichts vom Betrieb eines Studienkollegs.

### 2

Juan und Hanno sammeln nun die im Augenblick wichtigen Fragen und schreiben Stichpunkte auf einen Zettel.
Welche Punkte sollen Ihrer Meinung nach auf diesem „Hilfszettel" zu finden sein? Welche Reihenfolge empfiehlt sich?

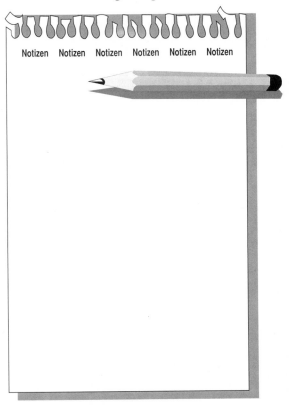

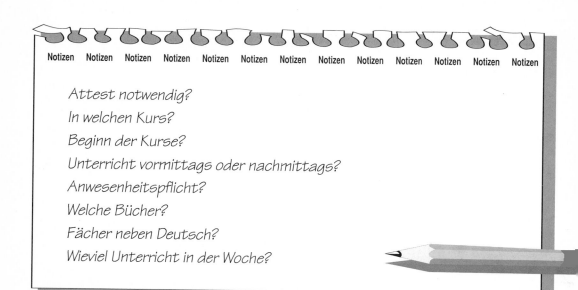

Notizen    Notizen    Notizen    Notizen    Notizen    Notizen    Notizen    Notizen    Notizen    Notizen    Notizen    Notizen    Notizen

*Attest notwendig?*

*In welchen Kurs?*

*Beginn der Kurse?*

*Unterricht vormittags oder nachmittags?*

*Anwesenheitspflicht?*

*Welche Bücher?*

*Fächer neben Deutsch?*

*Wieviel Unterricht in der Woche?*

**3**
Vergleichen Sie dann Ihren Vorschlag mit dem Fragezettel der Freunde.

## Hörverstehen

**4**
Hören Sie den Text.
Notieren Sie beim oder nach dem Hören die Antworten zu den oben abgedruckten Fragen der Freunde.

Welche der auf dem Fragezettel notierten Fragen sind durch den Text geklärt?
Wo sind Lücken geblieben?
Welche Informationen hat Hanno Maier zusätzlich bekommen?

**5**
Mitglieder Ihres Kurses übernehmen nun die Rolle der Sekretärin bzw. des Auskunft einholenden Studenten. Sie können dabei den eben gehörten Dialog imitieren oder auch verändern.

**6**
Folgende Hinweise können Ihnen Auskunftsgespräche erleichtern:

- Fertigen Sie vorher einen Fragezettel in deutscher Sprache an.
- Bringen Sie einzelne Fragen in eine sinnvolle Reihenfolge.
- Versuchen Sie, die Antworten während des Gesprächs kurz zu notieren (besonders Zahlen, Zeiten usw.).
- Sprechen Sie ruhig und langsam. Bitten Sie, falls Sie etwas nicht verstehen, um langsame Wiederholung des Gesagten.

**7**
Sie sehen am Schwarzen Brett vor der Cafeteria, daß eine Kommilitonin eine Mitfahrgelegenheit nach Paris anbietet. Bereiten Sie ein Telefongespräch vor, und führen Sie danach in der Gruppe ein solches Gespräch.

▷ *AB S. 35–38*

Überlegen Sie, ob man in Ihre Lösungssätze das Wort *bitte* einfügen könnte oder ob es nicht so gut paßt. Bittet der Autor den Leser um etwas?

## 10
Übung zu sprachlichen Registern

Der Autor benutzt an mehreren Stellen Stilelemente einer saloppen Umgangssprache, die z. B. unter Studenten, für die er ja schreibt, sehr verbreitet ist. Vergleichen Sie:

etwas   – was
heran-  – ran-
herum-  – rum-

Die kürzeren Formen sind umgangssprachlicher.
Benutzt der Autor die Kurzformen konsequent, oder verwendet er auch die vollen Formen?
Versuchen Sie, für einige seiner Formulierungen andere Ausdrücke zu finden.
Es gibt machmal mehrere richtige Lösungen.

1. Du lernst nirgendwo was Richtiges.

2. . . . an das Studium rangehen.

3. . . . der genauso verloren rumsteht wie du.

4. Wenn das nicht geht. . .

5. Wenn du das nicht bringst . . .

6. . . . was für ein Quatsch das ist.

## 11
Welche Hinweise des Textes sind für Ihr Studium (nicht) relevant? Warum (nicht)?

## 12
Schreiben Sie einen Text, den Sie ganz oder teilweise in Form einer Aufzählung gliedern.

Vorschlag: Sie schreiben einer/m deutschen Bekannten, die/der in Ihrem Heimatland studieren will und wissen möchte, was sie/er alles beachten muß (z. B. Zulassungs- und Studienbedingungen; Lebensbedingungen: Klima, Kleidung, Wohnen und Essen; Finanzierung des Studiums: Stipendien, Arbeit als Werkstudent/in; besondere Sitten und Gebräuche).
▷ *AB S. 39, 40*

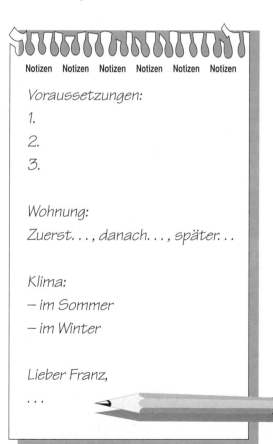

Notizen  Notizen  Notizen  Notizen  Notizen  Notizen

*Voraussetzungen:*

*1.*

*2.*

*3.*

*Wohnung:*
*Zuerst. . . , danach. . . , später. . .*

*Klima:*
*– im Sommer*
*– im Winter*

*Lieber Franz,*

*. . .*

# 4 | *Bundesrepublik Deutschland I*

## A. Landschaftsräume und Länder der Bundesrepublik Deutschland

**1**

Wie heißen die großen Landschaftsräume Deutschlands? Wo liegen sie?

**2**

Wie heißen die beiden Meere, an denen Deutschland Anteil hat? Wo befinden sie sich?

**3**

Nennen Sie einige Mittelgebirge und beschreiben Sie ihre geographische Lage. Wie heißt das Hochgebirge, und wo liegt es?

**4**

Wie heißen die größten Flüsse? In welcher Richtung fließen sie? Was kann man daraus über die geographische Struktur des Landes ablesen?

Information
Die Bundesrepublik Deutschland ist ein föderalistischer Staat. Sie besteht aus sechzehn Bundesländern. Hamburg, Bremen und Berlin sind genau genommen Stadtstaaten.
In einem föderalistischen Staat sind die Aufgaben von Regierung und Verwaltung auf Bund, Länder und Gemeinden verteilt. So unterstehen z. B. die Außen- und Verteidigungspolitik dem Bund, Erziehung und Polizei den Ländern, während für Sozialhilfe und Meldewesen die Gemeinden zuständig sind.

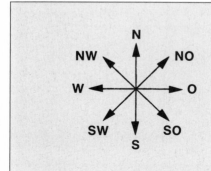

im Norden; nördlich;
im Süden; südlich;
im Westen; westlich;
im Osten; östlich;
im Nordosten; nordöstlich;
im Nordwesten; nordwestlich;
im Südosten; südöstlich;
im Südwesten; südwestlich.

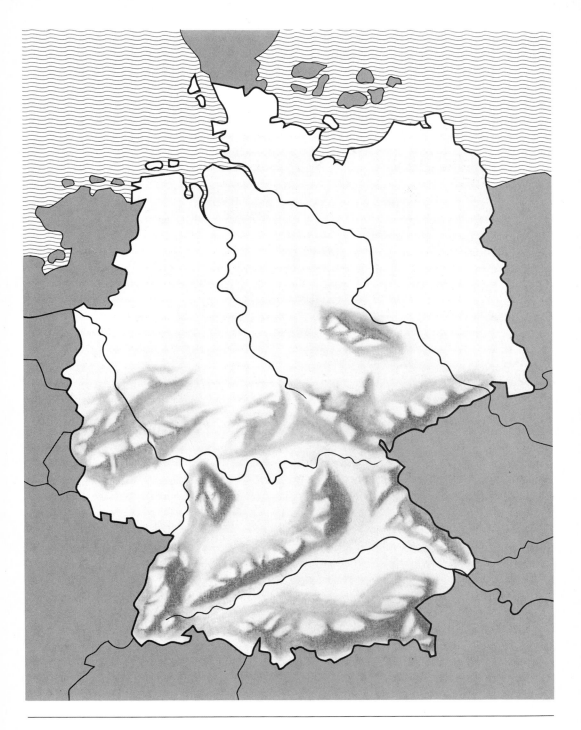

**5**

Wo liegen die Bundesländer? Tragen Sie die Abkürzungen in die Karte (Seite 37) ein.

Bayern (BY)
Niedersachsen (NI)
Brandenburg (BR)
Schleswig-Holstein (SH)
Hessen (HE)
Baden-Württemberg (BW)
Sachsen (SC)
Rheinland-Pfalz (RP)
Saarland (SL)
Mecklenburg-Vorpommern (MV)
Nordrhein-Westfalen (NW)
Berlin (BE)
Bremen (HB)
Sachsen-Anhalt (SA)
Hamburg (HH)
Thüringen (TH)

**6**

Welches ist Ihrer Meinung nach das größte / kleinste Bundesland (Fläche)?

**7**

Wie heißen die Hauptstädte der jeweiligen Bundesländer?
Tragen Sie die Namen der Städte in die Karte ein.

Hannover
Kiel
München
Dresden
Mainz
Saarbrücken
Potsdam
Düsseldorf
Wiesbaden
Schwerin
Erfurt
Magdeburg
Stuttgart

**8**

Die Nachbarländer der Bundesrepublik Deutschland sind:
die Tschechoslowakei (CS)
Belgien (B)
Dänemark (DK)
Polen (PL)
Luxemburg (L)
Frankreich (F)
die Niederlande (NL)
die Schweiz (CH)
Österreich (A)
Tragen Sie die Autokennzeichen der Länder in die Karte ein.

**9**

Wie liegen die einzelnen Bundesländer zueinander?
Beispiel: Thüringen liegt im Süden von / südlich von Niedersachsen.

Redemittel

---

A grenzt im Norden / Süden / Westen / Osten an B (*grenzen an* + Akk.)
A hat eine / keine gemeinsame Grenze mit B
A und B haben eine / keine gemeinsame Grenze
A liegt nördlich / südlich / westlich / östlich von B
A liegt im Norden / Süden / Westen / Osten von B
Achtung: im Norden / nördlich *der* Bundesrepublik / *der* Niederlande

---

**10**

Beschreiben Sie die Lage der Nachbarländer.

## B.  Schaubild: Deutschlands Stellung in der Welt

# Deutschlands Stellung in der Welt

| Bevölkerung in Mio. | Energie- verbrauch in Mio. t SKE | Wirtschafts- leistung in Mrd. $ | Luft- verschmutzung SO$_2$-Emission in Mio. t pro Jahr | Export in Mrd. $ |
|---|---|---|---|---|
| 1. 1135 China | 1. 2737 USA | 1. 5167 USA | 1. 20,7 USA | 1. 366 Deutschl. |
| 2. 828 Indien | 2. 1960 GUS | 2. 2818 Japan | 2. 11,1 GUS | |
| 3. 288 GUS | 3. 845 China | 3. 1639 GUS | 3. 6,3 Deutschl. | |
| 4. 251 USA | 4. 548 Japan | 4. 1356 Deutschl. | | |
| 5. 183 Indones. | 5. 517 Deutschl. | | | |
| 6. 150 Brasilien | | | | |
| 7. 124 Japan | | | | |
| 8. 112 Nigeria | | | | |
| 9. 112 Pakistan | | | | |
| 10. 109 Banglad. | | | | |
| 11. 86 Mexiko | | | | |
| 12. 79 Deutschland | | | | |

© Globus 8511

## Ein kleiner Riese

Beim Export ein Riese, bei der Bevölkerung von mittlerer Größe und im übrigen nur ein Fleckchen
auf der Weltkarte: An diesen Eigentümlichkeiten der Stellung Deutschlands in der Welt hat sich nach
dem Beitritt der DDR zur Bundesrepublik Deutschland nichts Wesentliches geändert. Auch künftig
wird gelten, daß Deutschland zu groß ist, um übersehen zu werden, aber zu klein für eine führende
5 Rolle in der Welt. Mit dem DDR-Beitritt ist Deutschland an die zwölfte Stelle der bevölkerungsreichsten Länder der Erde gerückt. Beim Energieverbrauch nimmt es nach den USA, den GUS-Staaten,
China und Japan den fünften Platz ein; bei der Luftverschmutzung besetzt es einen unrühmlichen
dritten Platz. Als Wirtschaftsmacht kommt Deutschland mit seiner Wirtschaftsleistung ein gutes Stück
näher an den Welt-Dritten – die GUS – heran. Und als Exporteur kann Gesamtdeutschland den Titel
10 „Weltmeister" wieder beanspruchen, den die Bundesrepublik Deutschland schon einmal an die USA
abgeben mußte.                                                                                    Globus

## 1

Sehen Sie sich bitte zuerst nur das Schaubild an und klären Sie die Bedeutung der
unbekannten Wörter und Abkürzungen.

**2**
Nominalkomposita
Übung
Energieverbrauch  – der Verbrauch der Energie
Luftverschmutzung – die Verschmutzung _____ _____
Wirtschaftsleistung – die _____ _____ _____
Verbraucht die *Energie* etwas, oder wird sie verbraucht? Ist der Genitiv Subjekt oder Objekt der Handlung? Die *Luft* und die *Wirtschaft* – tun sie etwas, oder wird etwas mit ihnen getan?

**3**
Sprechen Sie über das Schaubild und beginnen Sie dabei mit der Überschrift.
Sie können folgende Redemittel benutzen:

> Das Schaubild zeigt...
> Auf dem Schaubild ist... dargestellt/zu sehen.
> Das Schaubild enthält statistische Angaben
>           über...
>           informiert über...
> Bei... liegt Deutschland an erster/zweiter/dritter Stelle.
> Bei... nimmt... den ersten/zweiten/dritten Platz ein.
> Bei... besetzt... den ersten/zweiten/dritten Platz.

**4**
Setzen Sie die Informationen sinngemäß in folgenden Lückentext ein:
Das vorliegende Schaubild stellt _____ _____ dar. Nach dem _____ der DDR zur Bundesrepublik liegt Deutschland _____ _____ der bevölkerungsreichsten Länder der Erde, obwohl es auch nach der Vereinigung ein _____ Land bleibt. Beim Energieverbrauch _____ den _____ Platz. Als Wirtschaftsmacht _____ es den _____ Platz ein. Im Export ist Deutschland wieder _____, dies wird aber durch _____ Luftverschmutzung teuer erkauft.

**5**
Lesen Sie nun den Text zum Schaubild. Welche Zusatzinformationen enthält er?

**6**
Metaphern
Z. 1 Beim Export ein *Riese*.
*Riese* ist hier eine Metapher, d. h. ein bildlicher Ausdruck, der den Export Deutschlands mit einem besonders großen Menschen vergleicht. Durch Metaphern wird die Sprache lebendiger und variationsreicher. Der Text enthält noch eine weitere Metapher (aus dem Bereich des Sports). Wo steht sie?
Warum heißt die Überschrift: Ein *kleiner* Riese?

**7**
Phrasen
Ein Satz besteht aus Wörtern, Wörter bilden einen Satz. Dies ist zwar richtig, aber nicht ganz genau. Zwischen Satz und Wort gibt es noch ein Drittes – die Phrase. Das ist eine Gruppe von Wörtern, die grammatikalisch eng zusammengehören. Man unterscheidet:
Verbalphrasen (Z. 2/3 *wird ändern*)
Nominalphrasen (Z. 7/8 *einen unrühmlichen dritten Platz*)
Präpositionalphrasen (Z. 3 *nach dem Beitritt der DDR zur Bundesrepublik Deutschland*)
Unterstreichen Sie im Text weitere Verbal-, Nominal- und Präpositionalphrasen.

# C. Grenzen

## 1
### Vor der Wiedervereinigung

Sie müssen hier sehr genau lesen, denn diese Textcollage besteht aus zwei Texten. Der eine ist aus *Tatsachen über Deutschland* (Stand 1984) und enthält nur Fakten, der andere stammt aus *Tintenfisch* (1978), einem kritischen Literaturmagazin.

## Leseverstehen

(1) Bei einer Fahrt durch Deutschland bemerkt man zuallererst die ordentliche und präzise Aufteilung von Raum, Land und Gebäuden. (2) Das Staatsgebiet der Bundesrepublik Deutschland ist 248 630,32 km² groß. (3) Stadt und Land sind in ordentliche, geometrische Parzellen aufgeteilt, die von einer Vielzahl von Mauern, Zäunen und Toren bezeichnet werden. (4) Die längste Ausdehnung von Norden nach Süden beträgt 853 km, von Westen nach Osten 453 km. (5) An seiner schmalsten Stelle mißt das Bundesgebiet zwischen Frankreich und der DDR nur 225 km. (6) Jeder Fleck Boden scheint von einer definitiven Grenze umschlossen, die ihn klar von allen anliegenden Grundstücken scheidet. (7) Zur Umrundung des Staatsgebietes müssen 4244 km Landgrenzen und 572 km Seegrenzen abgefahren werden. (8) Die längste gemeinsame Grenze hat die Bundesrepublik im Osten mit der DDR. (9) In den Kleinstädten sind die einzelnen Häuser durch regelrechte Mauern voneinander getrennt und innerhalb dieser ummauerten Liegenschaften befinden sich wiederum Mauern, die den Vorgarten vom Haus und diesen wieder vom Hof trennen. (10) 1381 km streng bewachte Grenzlinie – eine Folge des 2. Weltkrieges – trennen die beiden deutschen Staaten.

Trennen Sie die beiden Texte, indem Sie die Nummern der Sätze aus *Tintenfisch* bzw. *Tatsachen über Deutschland* in die entsprechenden Kästchen eintragen.

| Tintenfisch Satz Nr. | | | | | | | |
|---|---|---|---|---|---|---|---|
| Tatsachen... Satz Nr. | | | | | | | |

Lesen Sie nun die beiden Texte im ursprünglichen Zusammenhang vor.

**2**
**Nach der Wiedervereinigung**
Wichtige Daten für das vereinigte Deutschland

Fläche: 356 945 qkm
Bevölkerung: ca. 80 Millionen
Längste Ausdehnung von Norden nach Süden: 867 km
               von Westen nach Osten: 631 km
Schmalste Stelle (zwischen Frankreich und der ČSFR): 316 km
km zur Umrundung des Staatsgebiets: 3777 km Landesgrenzen
                     ca. 1410 km Seegrenzen
Längste gemeinsame Grenze im Osten mit der ČSFR

Machen Sie aus den Angaben einen Text.
Vergleichen Sie die Informationen mit den Zahlen, die Sie in der Text-Collage gefunden haben.
Tragen Sie die Zahlen in die untenstehende Kartenskizze ein.

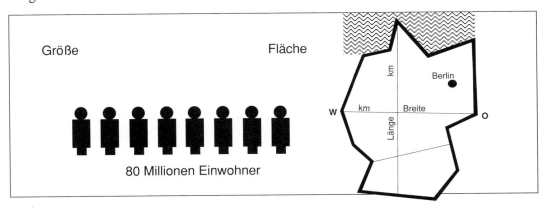

**3**
Wortschatz
Wie heißen die Substantive und Verben, die von folgenden Adjektiven abgeleitet sind?

| Adjektiv | Substantiv | Verb |
|----------|-----------|------|
| lang     |           |      |
| breit    |           |      |
| hoch     |           |      |
| tief     |           |      |
| flach    |           |      |

# D. Einige Daten zur deutschen Geschichte

Schreiben und sprechen Sie einen Text.
Beginnen Sie: Im 18. Jahrhundert war das damalige deutsche Reich...

| | |
|---|---|
| **18. Jhdt.** | Das damalige „Deutsche Reich" ist in sehr viele kleine und größere Territorien geteilt. |
| **1806** | Unter der Herrschaft Napoleons: |
| | Auflösung des „Deutschen Reiches" |
| **1814/15** | Wiener Kongreß |
| | Neuordnung Europas nach der Niederlage Napoleons |
| | Gegen den Wunsch der deutschen Patrioten: Entstehung von 39 souveränen Staaten auf deutschem Gebiet |
| | Zusammenhalt nur durch ein lockeres Bündnis („Deutscher Bund") |
| | Die beiden größten Staaten: Preußen (im Norden) und Österreich (im Süden) |
| **1848/49** | Bürgerliche Revolution in den deutschen Staaten |
| | Ziele: deutsche Einheit, demokratische Verfassung |
| | Revolution scheitert an der Macht der Fürsten |
| **1871** | Gründung eines neuen „Deutschen Reiches" unter preußischer Führung durch Bismarck |
| | Österreich bleibt außerhalb des Reiches (= kleindeutsche Lösung). |
| **1914–1918** | 1. Weltkrieg |
| **1919** | Friede von Versailles |
| | Deutschland verliert (ohne Kolonien) 13% seines Staatsgebiets (darunter wichtige Industriegebiete) mit 6,5 Mio. Einwohnern. |
| **1919–1933** | Weimarer Republik |
| **1929** | Beginn der Weltwirtschaftskrise |
| | Folge: sehr hohe Arbeitslosigkeit auch in Deutschland |
| **1933–1945** | Herrschaft des Nationalsozialismus in Deutschland; Hitlerdiktatur |
| **1939–1945** | 2. Weltkrieg |
| **Mai 1945** | Bedingungslose Kapitulation der deutschen Wehrmacht |
| | Deutschland wird in 4 Besatzungszonen aufgeteilt. |
| **Mai 1949** | Gründung der Bundesrepublik Deutschland |
| | (entstanden aus der amerikanischen, britischen und französischen Besatzungszone) |
| | Erster Bundespräsident der Bundesrepublik: Theodor Heuss |
| | Erster Bundeskanzler der Bundesrepublik: Konrad Adenauer |
| **Oktober 1949** | Gründung der Deutschen Demokratischen Republik |
| **1955** | Bundesrepublik in die NATO |
| | DDR in den Warschauer Pakt |
| **1961** | Mauerbau, Grenzbefestigungen, Schießbefehl |
| **1970** | Unter Bundeskanzler Willy Brandt: neue Ostpolitik |
| | Abschluß eines Deutsch-Sowjetischen Vertrags und eines Deutsch-Polnischen Vertrags |
| **1973** | Beginn grenznahen Verkehrs |
| | BRD und DDR in die UNO |
| **1989** | Fluchtwelle, Öffnung der Mauer, Zusammenbruch des SED-Regimes |
| **3. Oktober 1990** | Vereinigung der Bundesrepublik und der Deutschen Demokratischen Republik |

Können Sie selbst zu einzelnen dieser historischen Ereignisse genauere Angaben machen?

Fragen Sie nach weiteren Informationen über Ereignisse, an denen Sie ein besonderes Interesse haben.

**1** Wiener Kongreß, 1814

**2** Vorparlament Pauls-
kirche, Frankfurt 1848

**3** Kaiserproklamation,
Versailles 1871

**4** Reichskanzler Otto von
Bismarck (1815–1898)

**5** Adolf Hitler
(1889–1945), Reichs-
parteitag Nürnberg

**6** Nachkriegszeit in
Deutschland

**7** Theodor Heuss
(1884–1963), erster
Bundespräsident der
Bundesrepublik

**8** Konrad Adenauer
(1876–1967), erster
Bundeskanzler der
Bundesrepublik

**9** Die Wiedervereinigung
Deutschlands

EINIGKEIT
UND RECHT
UND FREIHEIT
ALLEN DEUTSCHEN

# E. Die Nationalhymne der Bundesrepublik Deutschland

## Vorlaufphase

Die Nationalhymne der alten Bundesrepublik ist auch die Nationalhymne des vereinigten Deutschlands.
Sie lautet:

> Einigkeit und Recht und Freiheit
> Für das deutsche Vaterland!
> Danach laßt uns alle streben
> Brüderlich mit Herz und Hand!
> Einigkeit und Recht und Freiheit
> Sind des Glückes Unterpfand –
> Blüh' im Glanze dieses Glückes,
> Blühe, deutsches Vaterland.

Erklärung
Unterpfand: Grundlage, Garantie

## 1

Was bedeuten die drei in der ersten Zeile genannten Begriffe? Wie interpretieren Sie die weiteren Verse dieser Strophe?

## 2

Diese Nationalhymne ist die dritte Strophe des sogenannten Deutschlandlieds.
Der Text des Deutschlandlieds wurde verfaßt von Heinrich Hoffmann von Fallersleben (1798–1874). Es wurde gesungen zu einer Melodie von J. Haydn (1732–1809).
Dieses Deutschlandlied war von 1922–1945 Nationalhymne des damaligen „Deutschen Reiches". Die erste Strophe lautet:

> Deutschland, Deutschland über alles,
> Über alles in der Welt,
> Wenn es stets zu Schutz und Trutze
> Brüderlich zusammenhält.
> Von der Maas bis an die Memel
> Von der Etsch bis an den Belt –
> Deutschland, Deutschland über alles,
> Über alles in der Welt.

Erklärung
Maas, Memel, Etsch, Belt: Flüsse bzw. Meerenge, welche die Grenzen „Großdeutschlands" markieren sollen.

Welchen Eindruck haben Sie vom Text der ersten Strophe?

## Hörverstehen

### 3

Sie hören ein Gespräch, in dem sich eine ausländische Studentin und ein deutscher Historiker über die Geschichte der Nationalhymne unterhalten.
Hören Sie zunächst das ganze Gespräch einmal.

Welche Informationen haben Sie verstanden? Sammeln Sie in der Gruppe und ordnen Sie.
Dann wird Ihnen das Gespräch in Teilen vorgespielt.
Lesen Sie vor dem Hören der einzelnen Teile die Fragen durch.

Fragen zu Teil 1

Hat die Entstehung des Deutschlandlieds einen Zusammenhang mit einer Revolution in Deutschland?
Welche Angaben enthält der Text über Heinrich Hoffmann von Fallersleben?
Welche politischen Ziele verfolgten in der Mitte des letzten Jahrhunderts die liberalen Professoren und Studenten?

Frage zu Teil 2

Welche Angaben enthält der Text über die erste Strophe des Liedes?

Fragen zu Teil 3

Wie beurteilen die Gesprächspartner die beiden ersten Verse der ersten Strophe?
Welcher Gegensatz zwischen dem ersten Bundespräsidenten und dem ersten Bundeskanzler ist dargestellt?
Wie ist die Situation nach der deutschen Wiedervereinigung?

**4**

In einer Umfrage des Nachrichtenmagazins „Der Spiegel" von 1990 wurde in „Westdeutschland" (alte Bundesländer) und in „Ostdeutschland" (ehemalige DDR) auch danach gefragt, wie die Nationalhymne beginnt.
Sehen Sie das Ergebnis und diskutieren Sie Gründe.

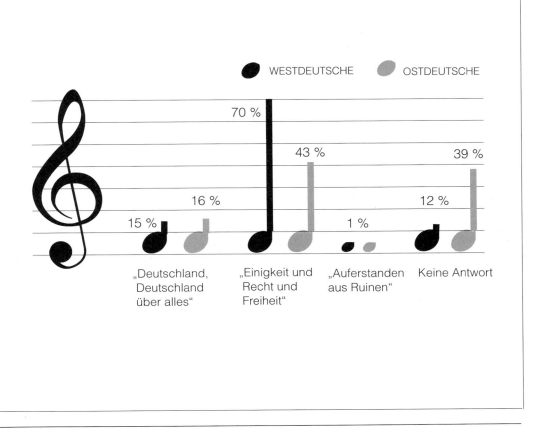

## *Jeder sechste singt die falsche Strophe*

*Auf die Frage, wie die Nationalhymne, „die dritte Strophe des Deutschlandliedes", beginnt, antworteten:*

WESTDEUTSCHE     OSTDEUTSCHE

70 %

43 %

39 %

16 %

15 %     12 %

1 %

„Deutschland, Deutschland über alles"

„Einigkeit und Recht und Freiheit"

„Auferstanden aus Ruinen"

Keine Antwort

# Lektionen 5–7

## Themenbereich
### Wohnen, Wohngebiete, Umgebungen

# 5 | *Wohnen in der Stadt?*

## A. Verschiedene Formen des Wohnens

**1**
Welche Schlagzeilen passen zu welchen Bildern?

**2**
Beschreiben Sie die Fotos. Was können Sie über das Aussehen der Häuser, der Wohnungen und der Personen sagen?

▷ *AB S. 64*

**3**
In welcher Wohnung/welchem Haus würden Sie sich am wohlsten fühlen? Warum?

VEREINZELUNG DES MENSCHEN

RÜCKZUG INS PRIVATE

**REPRÄSENTATION**

**GEMEINSAM STATT EINSAM**

**KOMMUNIKATIONS-FEINDLICHKEIT**

**ANONYMITÄT**

**KONTAKTE MIT NACHBARN**

# B. Michael Andritzky: Das Bedürfnis nach Kontakt und Kommunikation

Lesen Sie den Text in Partner- oder Kleingruppenarbeit.

Viele junge Leute ziehen in eine Wohngemeinschaft oder schließen sich einer Gruppe an, weil sie am modernen Lebensstil kaum etwas anderes so stark kritisieren wie die Vereinsamung und Vereinzelung in der Massengesellschaft. ‚Gemeinsam – statt einsam' heißt die neue Parole, die freilich so neu gar nicht ist.

Bis weit ins 18. Jahrhundert hinein – und in bürgerlichen Gegenden bis heute – gab es die strikte Trennung von Öffentlichkeit und Privatheit, Wohnen und Arbeiten nicht, beide Bereiche durchdrangen sich ständig. Das Alleinsein war hier die Ausnahme, nicht die Regel, und man hätte sicherlich völlig verständnislos auf jene statistische Erhebung reagiert, daß viele ältere Leute heute im Jahr nicht mehr als zehnmal überhaupt in engeren Kontakt mit anderen Menschen treten.

Sicherlich ist die soziale Kontrolle, die eine solche Lebensform mit sich bringt, relativ groß und die Freiheit, tun und lassen zu können, was man will, eingeschränkt. Aber das wird durch den Gewinn an Kommunikation, gegenseitiger Hilfe und gemeinsamer Beschäftigung wettgemacht. Das Bedürfnis nach Kontakt und Kommunikation steht heute in einem merkwürdigen Wechselverhältnis zu dem Bedürfnis nach Abschirmung und Schutz vor der Außenwelt. Beides soll die Wohnung bzw. die Wohnumwelt ermöglichen. Die Feststellung, daß viele Menschen engere Kontakte zu den Mitbewohnern gar nicht wollen, trifft sicherlich auf Leute zu, die beruflich oder privat so viele soziale Kontakte haben, daß sie im Wohnbereich gern darauf verzichten können. Für alte Leute, Hausfrauen, Kinder und Jugendliche, Arbeitslose usw. – also für die Mehrheit der Bevölkerung, die den größten Teil ihrer Zeit im Wohnbereich verbringt – gilt dies jedoch nicht.

Diese Gruppen leiden besonders unter der Abstraktheit und Kommunikationsfeindlichkeit vieler neuer Siedlungen.

Erklärungen

bürgerliche Gegenden: bürgerliche Wohngebiete

sich durchdringen (hier): sich vermischen

die Abschirmung: der Schutz

**1**

Zuordnungsübung

Welche Sätze passen zusammen?

1. Viele junge Leute ziehen in eine Wohngemeinschaft,

2. Bis weit ins 18. Jahrhundert hinein war man selten allein,

3. Eine Statistik zeigt,

4. Nachteile des Lebens in einer Wohngemeinschaft sind,

5. Vorteile des Lebens in einer Wohngemeinschaft sind,

6. Wenn Menschen beruflich oder privat viele soziale Kontakte haben,

7. Die Mehrheit der Bevölkerung hat wenig soziale Kontakte,

a) deshalb leidet sie unter der Kommunikationsfeindlichkeit vieler moderner Siedlungen.

b) daß man besser miteinander sprechen kann.

c) brauchen sie im Wohnbereich keine.

d) daß die persönliche Freiheit eingeschränkt ist.

e) weil sie nicht einsam sein wollen.

f) daß viele ältere Leute nur sehr selten in engeren Kontakt mit anderen Menschen treten.

g) daß die Kontrolle durch die anderen Mitglieder groß ist.

h) weil die Bereiche Wohnen und Arbeiten nicht getrennt waren.

i) daß man sich gegenseitig hilft.

j) weil sie gemeinsam mit anderen leben wollen.

Lösung: Z. B. 1 e und . . . 2 . . . 3 . . . 4 . . . 5 . . . 6 . . . 7 . . .

**2**

Übung zu Textbezügen

Was ist hier gemeint? Kreuzen Sie die richtige Lösung an.

1. „. . . heißt die neue Parole, die freilich so neu gar nicht ist."
Wie kann man den Relativsatz verstehen?

☐ . . . obwohl sie so neu gar nicht ist;

☐ . . . wenn sie so neu gar nicht ist;

☐ . . . weil sie so neu gar nicht ist.

2. „Sicherlich ist die soziale Kontrolle, die eine solche Lebensform mit sich bringt, relativ groß und die Freiheit . . . eingeschränkt. Aber das wird . . ."

Wenn man den Satz, der mit *sicherlich* beginnt, in einen Nebensatz umwandeln will, wie müßte der beginnen?

☐ *weil* die soziale Kontrolle . . .;

☐ *obwohl* die soziale Kontrolle . . .;

☐ *wenn* die soziale Kontrolle . . .

Was ist mit *eine solche Lebensform* gemeint?

☐ die Lebensform im 18. Jahrhundert;

☐ die heutige Kontaktarmut vieler älterer Leute;

☐ das Leben in einer Wohngemeinschaft.

3. „Aber das wird durch den Gewinn ...“

Worauf bezieht sich *das*?

☐ auf die Freiheit, tun und lassen zu können, was man will;

☐ auf die Tatsache, daß die soziale Kontrolle relativ groß und die Freiheit, tun und lassen zu können, was man will, eingeschränkt ist;

☐ auf eine solche Lebensform.

4. „Beides soll die Wohnung ... ermöglichen.“

Was ist *beides*?

☐ Abschirmung und Schutz;

☐ Kontakt und Kommunikation;

☐ sowohl Abschirmung und Schutz als auch Kontakt und Kommunikation.

5. „..., daß sie im Wohnbereich gern *darauf* verzichten können.“

Worauf kann man verzichten?

☐ auf die Mitbewohner;

☐ auf engere Kontakte zu den Mitbewohnern;

☐ auf den Wohnbereich.

6. „... gilt dies jedoch nicht.“

Worauf bezieht sich *dies*?

☐ auf die Tatsache, daß manche Leute im Wohnbereich gern auf soziale Kontakte verzichten können;

☐ auf die Tatsache, daß die Mehrheit der Bevölkerung den größten Teil ihrer Zeit im Wohnbereich verbringt.

**3**

Haupt- und Nebeninformationen

In einem Sachtext sind nicht alle Informationen gleich wichtig. Deshalb ist es sinn-voll, zwischen Haupt- und Nebeninformationen unterscheiden zu lernen.

● Hauptinformationen enthalten die wichtigsten Gedanken des Textes oder sind für die Entfaltung des Themas wichtig.

● Nebeninformationen ergänzen oder verdeutlichen die Hauptinformationen.

Träger der Hauptinformationen sind in Sachtexten oft Substantive, in zweiter Linie Adjektive und Verben. Sie werden *Schlüsselwörter* genannt, da sie Schlüssel zum Verständnis des Textes sind. Schlüsselwörter sind oft schon im Titel eines Textes enthalten. Schlüsselwörter sind auch Synonyme (Wörter mit gleicher oder ähnlicher Bedeutung) und Antonyme (Wörter mit gegensätzlicher Bedeutung) dieser ‚Titelwörter‘ oder auch Komposita (Zusammensetzungen), die ein Schlüsselwort enthalten.

Übung

Welche der drei Wortlisten enthält nur Schlüsselwörter des vorstehenden Textes?

☐ Parole, Öffentlichkeit, Privatheit, Ausnahme, Regel, Gewinn, Feststellung

☐ Massengesellschaft, Erhebung, Bedürfnis, Wohnung, Hilfe, Kommunikationsfeindlichkeit, Siedlung

☐ Wohngemeinschaft, gemeinsam, soziale Kontrolle, Kontakt, Kommunikation, Abschirmung, Schutz

Unterstreichen Sie nun alle Hauptinformationen des Textes. Besprechen Sie Ihr Ergebnis zuerst mit einem Partner und tragen Sie es dann vor. Diskutieren Sie über Ihre Ergebnisse.

**4**

**Die konzessive Relation**

Beispiel: *Sicherlich/zwar* ist die soziale Kontrolle relativ groß. *Aber* das wird durch den Gewinn an Kommunikation wettgemacht.

In diesem Beispiel liegen zwei Tatsachen oder Behauptungen vor, die in einem Gegensatz stehen. Die eine (mit *sicherlich/ zwar*) wird vom Autor zugestanden (oder konzediert), d. h. nicht bestritten, die andere (mit *aber*) ist ihm jedoch wichtiger und bestimmt die Entscheidung. Diese konzessive Relation haben Sie bestimmt schon am Beispiel der *obwohl*-Sätze gelernt;

Beispiel: Immer mehr junge Leute ziehen in eine Wohngemeinschaft, *obwohl* sie dort durch andere Mitglieder kontrolliert werden.

▷ *RG § 375*

**Übung**

Suchen Sie bitte im Text nach einem weiteren Beispiel für die konzessive Relation, die mit *sicherlich ... aber* und *sicherlich ... jedoch* ausgedrückt wird.

Formen Sie die folgenden Sätze mit *obschon, obwohl, obgleich* in Sätze mit *sicherlich – aber/jedoch* um. Orientieren Sie sich dabei am oben stehenden Beispiel.

1. Obwohl die persönliche Freiheit in einer Wohngemeinschaft eingeschränkt ist, wird dieser Verlust durch einen Gewinn an Kommunikation mehr als ausgeglichen.
2. Obgleich die soziale Kontrolle relativ groß ist, wird dies durch mehr Gemeinsamkeit wettgemacht.
3. Obschon die Menschen Kontakt und Kommunikation brauchen, haben sie auch das Bedürfnis nach Abschirmung und Schutz.
4. Obwohl viele Menschen auf engere Kontakte zu den Mitbewohnern verzichten, wünscht sich die Mehrheit der Bevölkerung soziale Kontakte auch im Wohnbereich.
5. Obwohl die Menschen gemeinsam leben wollen, möchten sie manchmal auch allein sein.

**5**

Zur Diskussion

Kennen Sie Wohngemeinschaften?
Haben Sie vielleicht selbst einmal in einer gewohnt?
Wenn ja, wie waren Ihre Erfahrungen?
Wenn nein, wie stellen Sie sich das Leben in einer Wohngemeinschaft vor?
Würden Sie gern in einer Wohngemeinschaft wohnen?
Warum (nicht)?

# C. Pro Großstadt – pro Kleinstadt

**Vorlaufphase**

**1**

Großstadt – Kleinstadt

In Deutschland spricht man von einer Großstadt, wenn die Zahl ihrer Einwohner über 100 000 liegt.

Wieviel Einwohner hat
– eine Kleinstadt?
– ein Dorf?
Suchen Sie diese Zahlen in einem Lexikon unter dem Stichwort *Kleinstadt* bzw. *Dorf.*

**2**

Schildern Sie das Verhältnis Großstadt/Kleinstadt/Dorf aus der Sicht Ihres Landes.

**3**

Bilden Sie zwei Gruppen. Die erste Gruppe befaßt sich mit der Großstadt, die zweite mit der Kleinstadt.
Sammeln Sie Gesichtspunkte, die für oder gegen das Leben in einer großen oder einer kleinen Stadt sprechen. Tragen Sie diese vor.

## Hörverstehen

**4**

Sie werden eine kleine Verteidigungsrede für eine deutsche Großstadt hören.
Der Titel lautet: „Einbetoniert und trotzdem frei".
Erklären Sie den Ausdruck *einbetoniert*.

(Hilfe: die Mauer – ein-mauern
der Beton – ein-betonieren).

Interpretieren Sie den Titel.

**5**

In einem zweiten Text kommt ein deutscher Kleinstädter zu Wort.
Hier lautet die Überschrift sinngemäß: „(Die Kleinstadt) gibt mir das Gefühl der Geborgenheit".
Erklären Sie die Überschrift.

Erklärungen

die Hanglage: Lage der Wohnung am Hang eines Berges oder Hügels mit schöner Aussicht

der Tante-Emma-Laden: kleiner Laden, einfach eingerichtet, wo man Dinge des alltäglichen Bedarfs kaufen kann

das Schallschutzfenster; (das schallschluckende Fenster): Fenster mit besonderem Glas, die gegen Lärm isolieren

die Anonymität: (hier): das Gefühl des Fremdseins in einer Großstadt

**6**

Hören Sie zweimal den ersten Text (pro Großstadt).
Welche Vorzüge des Großstadtlebens nennt der „Einbetonierte"?
Wo gibt er zu, daß ihm einige schöne Dinge fehlen?

▭

**7**

Hören Sie zweimal die Verteidigungsrede für die Kleinstadt.
Welche Gründe nennt der Verteidiger der Kleinstadt?
Welche Zugeständnisse macht er dem Großstädter?

▭

**8**

Halten Sie eine kleine **Rede für** die Großstadt oder die Kleinstadt.
Folgende Hinweise erleichtern Ihnen diese Aufgabe:

● Notieren Sie vorher die Argumente, die für Sie wichtig sind, in Stichworten auf deutsch.

● Ordnen Sie die Stichworte. Argumente, die zusammengehören, müssen auch zusammen behandelt werden. Vermeiden Sie Wiederholungen.

● Geben Sie an, wenn Sie ein neues wichtiges Argument bringen. Redemittel, die eine Aufzählung oder eine Überleitung anzeigen, können Ihnen dabei helfen.

▷ *AB S. 39, 40*

● Legen Sie eine Reihenfolge fest, bei der die wichtigsten Argumente am Ende des Statements erscheinen.

## D. Ot Hoffmann: Wohnen in der Stadt - mitten in Deutschland

### Leseverstehen

**1**

Lesen Sie zuerst nur den Titel, den Untertitel und die beiden numerierten Zwischentitel. Welche Voraussagen über den Text können Sie aufgrund dieser Titel machen?

**2**

Lesen Sie nun den ganzen Text und notieren Sie alle Argumente für das Leben in der Innenstadt, in der Vorstadt bzw. auf dem Land. Geben Sie dann die Argumente in kurzen Sätzen wieder.

Ot Hoffmann

# Wohnen in der Stadt – mitten in Deutschland

Ein Erfahrungsbericht darüber, was auch hier möglich ist

das Leben suchen wir. Deshalb gehen wir ja gerade so gerne und so oft ohne Notwendigkeit aus unseren Vorstadtsiedlungen heraus in die Innenstädte (zum Kauf, aber auch zum Schauen, zum Treff oder zum Flanieren). 5

In den Innenstädten sind die Häuser höher. Es wird gesagt, daß mit zunehmender Gebäudehöhe die 10

### 1. Unmenschliche Innenstadt?

In den Innenstädten ist Lärm und Leben. Den Lärm mögen wir nicht;

Menschen unglücklicher werden. Ich will beschreiben, warum ich im V. und VI. Obergeschoß eines innerstädtischen Hauses lebe, zufrie- 15

▷

den bin, ja, ein vorhandenes eigenes Einfamilienwohnhaus am Stadtrand in unmittelbarer Waldnähe verlassen habe (weil mir Grün und Stille in die Ohren hereinwuchsen).

## 2. Hier wohne ich.

Wenn mir ganz früh morgens die Sonne zublinzelt, ist die Stadt Darmstadt noch ganz still.
Links im Herrengarten singen die Vögel, mein Gegenüber sind die alten Gebäude des Museums und Theaters, rechts liegen die Türme, Kuppeln und Dächer des Schlosses, der Stadtkirchen und des weißen Turms.
Im Süden führt unmittelbar an meinem Haus eine Hauptverkehrsstraße vorbei, begrenzt von einem Wirrwarr häßlicher Hinterhoffassaden. Dahinter liegt die Innenstadt, der Odenwald mit seinen Burgtürmen, die Bergstraße. Mitten durch das Dachgewirr-Panorama donnert der Verkehrsstrom der rush-hour.

In der Stadt, so hört man, ist alles Beton, Stahl und Asphalt. Pflanzen fehlen und Tiere sterben; aber während ich dies schreibe, singt eine Amsel zum Greifen nahe auf meinem Balkon, und ich habe das starke Bewußtsein einer geschichtlichen Umgebung und der jederzeitigen Möglichkeit, spontan auf städtische Ereignisse zu reagieren.

Nachts bin ich ganz allein und mit ein paar Nachtbummlern alleiniger Bewohner der Innenstadt. Ringsum gibt es in den paar Jahren, in denen ich hier lebe, zusehends weniger beleuchtete Fenster, die Leute sind aufs Land gezogen, wo sie evtl. mehr Ruhe, sicher aber aufreibendere Verkehrswege haben.

Nun bin ich kein Grünmuffel, sondern liebe die möglichst u n b e r ü h r t e Natur. Die finde ich auch im ländlichen Einzugsbereich der Stadt nicht vor meiner Haustür, sondern erreiche sie mit dem Auto, wie die Landbewohner auch.

Nur in der Stadt benötige ich im Gegensatz zu ihnen nichts mehr als meine Beine zur Fortbewegung. Das Ergebnis zahlt sich bar aus: Ich kann mein Auto viel länger fahren, jährlich spare ich so viel Kilometer, daß ein tägliches Restaurantessen herauskommt. Selbstverständlich erreiche ich auch eine größere Auswahl von Restaurants – das Theater, Museum, die Ausstellungen usw. – zu Fuß. So hat sich für mich in der Innenstadt eine Art Nachbarschaftsgefühl zu meiner Umgebung entwickelt.

---

Erklärungen

flanieren: bummeln, spazierengehen

zublinzeln: jemanden ansehen und blinzeln, durch Blinzeln etwas zu verstehen geben

Darmstadt: 138 000 Einwohner, Mittelpunkt im südlichen Rhein-Main-Gebiet, ehemalige Hauptstadt des Freistaats Hessen, Industrie- und Kunststadt

der Odenwald: das Mittelgebirge, an dessen Fuß Darmstadt liegt

die Bergstraße: alte Landstraße am Westrand des Odenwalds

rush hour (engl.): die Hauptverkehrszeit

der Grünmuffel, -: kann man aus dem Gegensatz erschließen

der Einzugsbereich, -e: das Einzugsgebiet; weiterer Umkreis, aus dem der Zustrom zu einem wirtschaftlichen o. ä. Zentrum erfolgt.

# 3
## Die adversative Relation
▷ *RG § 380*

Bei seinem Vergleich des Lebens in der Innenstadt und in der Vorstadt (bzw. auf dem Land) stößt der Autor auf **Gegensätze.**
Durch welche Redemittel werden Gegensätze ausgedrückt?
Welche kennen Sie bereits?
Unterstreichen Sie die Redemittel, die Gegensätze ausdrücken, in den folgenden Sätzen.
Welche sind Hauptsätze, welche Nebensätze?

– Er ist einbetoniert, aber er fühlt sich frei.
– Er lebt nicht in der Kleinstadt, sondern in der Großstadt.
– Die Kinder auf dem Land kennen Pferde, Kühe und Hühner noch aus eigener Anschauung, in der Großstadt dagegen/ jedoch/hingegen kennen die Kinder die Tiere nur aus Bilderbüchern.
– Während die Kinder auf dem Land auf Wiesen und in Wäldern spielen können, haben die Kinder in der Großstadt wenig Platz zum Spielen.
– Die Kinder in der Kleinstadt können noch radfahren; im Gegensatz dazu

müssen die Kinder in der Großstadt mit dem Schulbus fahren.

> Beachten Sie: Nicht immer werden **Gegensätze** durch Konjunktionen, Konjunktionaladverbien oder Wortgruppen verdeutlicht, sondern durch Antonyme ausgedrückt.

# 4
Suchen Sie im Text nach Gegensätzen. Notieren Sie die Redemittel, mit denen sie ausgedrückt werden.

# 5
Verbinden Sie die folgenden Sätze; verwenden Sie dabei diese Strukturen:
aber – sondern – während – jedoch – im Gegensatz dazu – dagegen – hingegen

1. Den Lärm mögen wir nicht; das Leben suchen wir.
2. Viele Menschen, die in hohen Gebäuden leben, sind unglücklich; ich bin zufrieden.
3. Früh morgens ist alles ganz ruhig; während der rush hour donnert der Verkehr vorbei.
4. Er wohnt nicht in der Vorstadt; er wohnt in der Innenstadt.
5. Die Landbewohner haben mehr Ruhe; sie haben auch längere Wege.
6. Er ist kein Grünmuffel; er liebt die unberührte Natur.
7. Die Landbewohner brauchen das Auto ständig; in der Stadt kann man vieles zu Fuß erreichen.

# 6
Der Autor und seine Intention

Was erfahren Sie aus dem Text
– über die Persönlichkeit des Autors?
– über die Absicht, mit der er diesen Text geschrieben hat?

**7**

**Nominalkomposita**

Bei Nominalkomposita vom Typ Substantiv + Substantiv unterscheiden wir zwischen Grund- und Bestimmungswort. Das Grundwort steht rechts und ist die Basis des Kompositums. Beispiel: Bei *Haustür, Gartentür, Autotür* handelt es sich immer um eine Tür. Das Grundwort enthält alle grammatischen Informationen des Kompositums, d. h. es bestimmt dessen Genus und Pluralform. Beispiel: das Haus – die Häuser + *die* Tür – die Tür*en* = *die* Haustür – die Haustür*en*.

Das Bestimmungswort charakterisiert das Grundwort genauer und trägt den Wortakzent: Háustür, Gártentür. Bestimmungswörter sind linksorientiert. Nominalkomposita lassen sich meist so auflösen:

Substantiv + Genitivattribut
Beispiel:   Die Haustür ist die Tür des Hauses.

Substantiv + Präpositionalattribut
Beispiel:   Die Hauptverkehrsstraße ist die Straße für den Hauptverkehr.

Substantiv + Relativsatz
Beispiel:   Das Restaurantessen ist das Essen, das man im Restaurant einnimmt.

Die Grenze zwischen den Wörtern der Komposita wird oft durch Fugenzeichen angezeigt: –*s*–, seltener –*en*–, –*er*–. Die Fugenzeichen sind keine Deklinationsendungen, sie weisen nicht auf einen Genitiv oder Plural hin.

Beispiele: Geburt*s*tag = Tag der Geburt
Kirche*n*glocke = Glocke der Kirche
Hühn*er*ei = Ei eines Huhnes

Wenn sich die Bedeutung eines Kompositums nicht aus den Teilen erschließen läßt – z. B. *Fahrstuhl* –, dann liegt ein lexikalisiertes oder terminologisches Kompositum vor, dessen Bedeutung man neu lernen muß.

Übung

Lösen Sie die folgenden Komposita auf: Gebäudehöhe, Waldnähe, Landbewohner, Dächergewirr, Einfamilienwohnhaus, Vorstadtsiedlung, Nachbarschaftsgefühl, Lebensform, Landeshauptstadt, Vorbildungsnachweis, Einschreibungsformulare, Studentensekretariat, Immatrikulationsfrist, Universitätsbibliothek

**8**

Rätsel zum Wortschatz des Textes

Füllen Sie die waagerechten Zeilen aus. Jedes Kästchen steht für einen Buchstaben. Bei richtiger Lösung ergibt eine senkrechte Zeile den Namen einer deutschen Stadt.

1. deutsches Mittelgebirge, irgendwas mit Wald
2. ein Synonym für bummeln, spazierengehen
3. Antonym von Lärm, in der Stadt gibt es wenig davon 4. schwarzer Vogel, der schön singt
5. manche wohnen lieber in der Innenstadt als in der... 6. Synonym von 3, viele suchen sie in 7
7. unser Autor liebt sie unberührt 8. oberer Teil eines Hauses 9. hohes, schlankes Gebäude

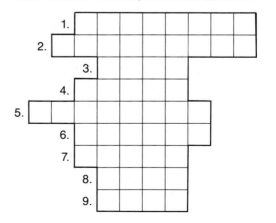

# 6 | *Wohnungsprobleme*

## A. Die neue Wohnungsnot

1

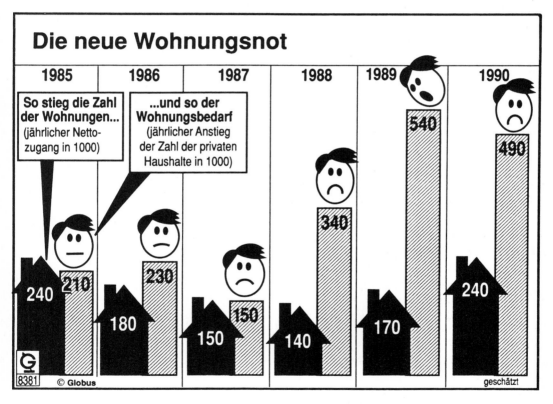

Beantworten Sie folgende Fragen:
Woher stammt das Schaubild?
Datum seiner Veröffentlichung?
Thema? (Warum *neue*?)
Für welchen Zeitraum gültig?

Bedeutung der Zeichnungen?
Was wird durch die Sätze (oben links) erklärt?
Unbekannte Begriffe?
Was bedeutet *Netto*zugang?

Was sagt die Grafik über
– den Anstieg der Zahl der Wohnungen?
– den Anstieg der privaten Haushalte für die Jahre 1985 bis 1990?

Schreiben Sie nun mit Hilfe der Fragen und Antworten einen Text über die Grafik. Die Fragen geben Ihnen eine Gliederungsmöglichkeit für die Beschreibung. Wiederholen Sie die einzelnen Schritte.

**2**
Lesen Sie nun den folgenden Text:

## Fast 900 000 Wohnungen fehlen

Seit Ende der achtziger Jahre klafft die Schere auf dem Wohnungsmarkt auseinander. Noch 1985 übertraf die Zahl der neugebauten Wohnungen – abzüglich des Abgangs wegen Abriß, Zusammenlegung oder Änderung der Nutzungsart – die Zahl der neugegründeten Haushalte (also die zusätzliche Wohnungsnachfrage). Hinzu
5  kam, daß es noch eine Reserve an leerstehenden Wohnungen gab. Ein Jahr später, 1986, kehrte sich das Verhältnis um; 1987 stiegen Neuzugang und Nachfrage nach Wohnungen im selben Tempo. Seit 1988 ist der Zugang an Wohnungen Jahr für Jahr deutlich hinter der Nachfrage zurückgeblieben, obwohl die Zahl der Baufertigstellungen – und erst recht die der Baugenehmigungen – seit 1988/89 steigt. Der Grund
10  für diese Entwicklung liegt in der Zuwanderungswelle von Aus- und Übersiedlern, aber auch in dem hohen Zugang von jungen Haushalten. – Wenn man die seit Mitte der achtziger Jahre entstandenen Defizite bei der Wohnungsversorgung zusammenzählt und die wahrscheinlichen Zahlen für das laufende Jahr hinzurechnet, dann ergibt sich: Bis heute sind fast 900 000 Wohnungen zuwenig gebaut worden.

Welche Informationen sind bereits in der Grafik enthalten?
Wie haben Sie diese Informationen formuliert?

Wie formuliert der Text?
Welche Informationen sind neu?

**3**

**Die temporale Sequenz**

In diesem Text beginnen fünf Sätze mit einer Zeitangabe:

*Z. 1 Seit Ende der achtziger Jahre...*
*Z. 2 Noch 1985...*

Unterstreichen Sie die übrigen satzeinleitenden Zeitangaben im Text.

Eine Reihe solcher Zeitangaben, die meistens an derselben Stelle im Satz stehen, bilden eine „temporale Sequenz", die eine Orientierungshilfe beim Lesen ist, besonders dann, wenn es auf den Zeitpunkt des Geschehens ankommt.

**4**

**Verben der quantitativen Veränderung**

Durch welche Synonyme können die *kursiv* gedruckten Wörter ersetzt werden? Kreuzen Sie an.

1. 1985 *übertraf* das Wohnungsangebot die Nachfrage.

☐ ansteigen
☐ übersteigen
☐ zurückbleiben
☐ größer sein als
☐ kleiner sein als

2. 1987 *stiegen* Angebot und Nachfrage im selben Tempo *an*.

☐ zunehmen

☐ sich erhöhen
☐ übertreffen
☐ abnehmen

3. Seit 1988 *ist* der Zugang an Wohnungen hinter der Nachfrage *zurückgeblieben*.

☐ übertreffen
☐ kleiner sein als
☐ zunehmen

Sammeln Sie in Gruppenarbeit noch weitere Verben der quantitativen Veränderung.

**5**

**Das Partizipialattribut:** Ein Problem beim Lesen.

Partizipialattribute können beim Lesen größere Schwierigkeiten bereiten:

– Man muß wissen, wo sie beginnen und wo sie enden.
– Sie enthalten weder eine genaue Angabe des Tempus noch der Aktionsform (Aktiv/Passiv).

Über diese Probleme müssen Sie nachdenken, wenn Sie das Partizipialattribut in einen Relativsatz transformieren.

### Partizip I

Es gibt *leerstehende* Wohnungen =
Es gibt Wohnungen, die leerstehen.
Es gab *leerstehende* Wohnungen =
Es gab Wohnungen, die leerstanden.

} Aktiv und gleichzeitig

### Partizip II

Die Zahl der *neugebauten* Wohnungen
reicht nicht aus =
Die Zahl der Wohnungen, die neugebaut
(worden) sind/werden, reicht nicht aus.

Die Zahl der *neugebauten* Wohnungen
reichte nicht aus =
Die Zahl der Wohnungen, die neugebaut
worden waren/wurden, reichte nicht aus.

} Passiv (mit *sein* oder *werden*) und vor- und gleichzeitig

Wenn man die *in den 80er Jahren entstan-denen* Defizite zusammenzählt, ... =
Wenn man die Defizite, die in den
80er Jahren entstanden sind, zusammenzählt, ...

} Aktiv und vorzeitig

# B. Statistik: Studentische Wohnformen

**1**
Wo leben zumeist Studenten in Ihrem
Heimatland? In Studentenwohnheimen,
bei ihren Eltern, in eigenen Wohnungen?
Berichten Sie.

**2**
Sehen Sie sich die Tabelle auf Seite 63 an
und klären Sie die unbekannten Wörter.

Uni = Universität
FH = Fachhochschule

Die Studieninhalte und -ziele an den Fachhochschulen
sind auf die Praxis und Anwendung bezogen. Der Stu-
dienplan sieht Praxissemester oder ähnliche Praxispha-
sen außerhalb der Hochschule vor. Die Studienzeit beträgt – ohne Praxissemester – drei bzw. dreieinhalb
Jahre.
Die Studiengänge an den Universitäten sind in der Regel länger und stärker forschungsorientiert.

**Studentische Wohnformen**

| Wohnform | Uni | | | | FH | | | |
|---|---|---|---|---|---|---|---|---|
| | **1979** | **1982** | **1985** | **1988** | **1979** | **1982** | **1985** | **1988** |
| (Spalte) | 1 | 2 | 3 | 4 | 5 | 6 | 7 | 8 |
| Eigene Wohnung | 31 | 39 | 39 | 36 | 29 | 38 | 36 | 30 |
| Wohngemeinschaft | 18 | 18 | 16 | 18 | 15 | 13 | 12 | 16 |
| Untermiete | 15 | 10 | 8 | 7 | 12 | 8 | 7 | 6 |
| Wohnheim | 13 | 11 | 11 | 12 | 10 | 8 | 8 | 9 |
| Eltern/Verwandte | 22 | 22 | 26 | 27 | 33 | 32 | 37 | 39 |

Aus: Das soziale Bild der Studentenschaft in der Bundesrepublik Deutschland, 12. Sozialerhebung des Deutschen Studentenwerkes.

**3**

Sagen Sie in einem Satz, was die Überschrift der Tabelle bedeutet. Die Tabelle *informiert über.../darüber, wie...*

**4**

Was steht in den Spalten 1–4 bzw. 5–8? Die Statistik, die zehn Jahre umfaßt, zeigt deutlich bestimmte Entwicklungslinien. Sie sollen mit Hilfe der folgenden Aufgaben diese Entwicklungstendenzen herausarbeiten. Sie brauchen nicht alle Zahlenangaben wiederzugeben.

**5**

Sprechen Sie zunächst über die Zahlenangaben für 1979.
Formulieren Sie kurze, vollständige Sätze nach dem Beispiel: 1979 wohnten 15% der Universitätsstudenten zur Untermiete.

**6**

Beschreiben Sie die Entwicklung von 1979 bis 1988.
Von 1979 bis 1988 ist die Zahl der Universitätsstudenten, die zur Untermiete wohnen, *von 15% auf 7% zurückgegangen.*
...hat die Zahl... *um* ungefähr...*% abgenommen.*
...hat sich die Zahl... *um...% verringert.*
Von 1979 bis 1988 ist die Zahl der Studenten an Fachhochschulen, die bei ihren Eltern wohnen, *von 33% auf 39% angestiegen.*
...hat die Zahl... *um* ungefähr...*% zugenommen.*
...hat sich die Zahl... *um...% vergrößert.*
...*ist* die Zahl... etwa *gleichgeblieben.*
...*hat sich* die Zahl... kaum *geändert.*

**7**

Stellen Sie nun die Entwicklungstendenz im Zusammenhang dar.
Die Tabelle *zeigt*, daß immer mehr/weniger Studenten...
Während 1979 noch...% der Studierenden an den Fachhochschulen... wohnten, waren es 1988 sogar...

**8**

Was sind wohl die Gründe für diese Entwicklung?
Ordnen Sie mögliche Antworten zu und diskutieren Sie eigene.

| | |
|---|---|
| *Die meisten Studenten leben in einer eigenen Wohnung.* | *Abhängigkeit vom Vermieter* |
| | *angespannte Lage auf dem Wohnungsmarkt* |
| *Viele Studenten leben auch in einer Wohngemeinschaft.* | *Wunsch nach Unabhängigkeit* |
| | *Bequemlichkeit* |
| *Immer mehr Studenten wohnen bei ihren Eltern.* | *finanzielle Gründe* |
| | *Experimentieren mit alternativen Lebensformen* |
| *Immer weniger Studenten wohnen zur Untermiete.* | *Wunsch nach Loslösung vom Elternhaus* |
| | *Aufbrechen der Zweierbeziehung* |

**9**

In welche Richtung geht die Entwicklung heute? Was mögen die Gründe dafür sein?

# C. Zimmersuche (Interview)

### Vorlaufphase

**1**

Der AStA (*Allgemeiner Studenten-Aus-schuß*) ist die Vertretung der Studenten innerhalb der Universität. Er verwaltet sich selbst. Für die verschiedenen Bereiche (z. B. Kultur, Sport, Soziales) sind Referentinnen und Referenten zuständig.

Sammeln Sie (z. B. durch Nachschlagen in einem Lexikon, Befragen von Kommilitonen) weitere Informationen über den AStA.

**2**

Lesen Sie folgenden Aushang, den wir am Schwarzen Brett einer Universität gefunden haben.

Liebe ausländische Kommilitonen,
als Ausländerreferentin des ASTA bin ich in den Sprechstunden

Mo-Fr 12 $^{00}$ - 14 $^{00}$ Uhr

für Euch zu sprechen.
Hier erhaltet Ihr Hilfe und Unterstützung bei Euren Problemen mit

- Sprachkursen,
- Studienkolleg,
- Uni-Verwaltung,
- einzelnen Professoren,
- Euren Vermietern,
- Asylanträgen
  etc.

Viele Probleme können von uns auch nur dann gelöst werden, wenn sich Betroffene bei uns melden. Deshalb ist es in Eurem Interesse und dem Eurer Kommilitonen wichtig, daß Ihr mit Euren Problemen zu uns in den ASTA kommt.

## Hörverstehen

### 3
Das Interview

Der Text, den Sie hören werden, ist ein Interview.
Sie sollen nach dem ersten Hören noch nicht den konkreten Inhalt wiedergeben, sondern allgemeine Fragen zu Aufgabe und Form des Interviews beantworten.
Lesen Sie diese Fragen vorher durch.

1. Wer interviewt in diesem Text, wer wird interviewt?
2. Versuchen Sie zu verallgemeinern: Welche Personen werden (z. B. im Fernsehen, im Rundfunk) interviewt, welche interviewen?
3. Welche Aufgabe hat dieses Interview?
4. Welche Aufgabe(n) hat ein Interview im allgemeinen?
5. Wer hört ein Interview? Zu welchem Zweck?

### 4
Hören Sie jetzt das Interview.

### 5
Welche der nachfolgenden Adjektive können Ihrer Meinung nach die Sprache dieses Interviews charakterisieren?

Kreuzen Sie an – der Lehrer hilft Ihnen vorher bei der Worterklärung.

| | | |
|---|---|---|
| ☐ aggressiv | ☐ aufgeregt | ☐ gereizt |
| ☐ ruhig | ☐ heiter | ☐ freundlich |
| ☐ lässig | ☐ emotional | ☐ wohlwollend |
| ☐ ironisch | ☐ sachlich | ☐ wütend |

### 6
Hören Sie das Interview noch einmal.
Achten Sie jetzt nur auf die Fragen des Reporters.

Notieren Sie kurz, wonach in dem Interview gefragt wird.
Ergänzen Sie aus den Notizen Ihres Nachbarn.

1. Welche Fragen werden gestellt?
2. Welche Fragen greifen ein neues Problem auf?
3. Welche gehen auf die Ausführungen des Interviewten näher ein?

### 7
Hören Sie das Interview ein drittes Mal.
Versuchen Sie jetzt, wenigstens Teile der Antworten zu erfassen. Jemand von Ihnen liest nach dem Hören die Fragen in der Reihenfolge des Interviews vor. Wer kann darauf antworten?

### 8
Am wichtigsten für Sie sind wohl die Tips, die für die Zimmersuche gegeben werden.
Wiederholen Sie diese.
Sind Sie damit einverstanden? Haben Sie andere/bessere?

### 9
Nun üben Sie selbst die Rolle der Reporterin/des Reporters.
Befragen Sie Ihre Nachbarn, welche Erfahrungen sie bei der Zimmersuche gemacht haben.
Stellen Sie mögliche Fragen (in einer sinnvollen Reihenfolge) zusammen. Notieren Sie diese schriftlich. Geben Sie diese Fragen u. U. vorher Ihren Partnern, damit diese sich vorbereiten können.
Machen Sie mehrere Interviews, und nehmen Sie diese auf Cassette auf. Vergleichen Sie Ihre Ergebnisse.

▷ *AB S. 84*

# D. Mahnung und Antwort

Maria Rosales wohnt in einer Berliner Altbauwohnung, deren Grundmieten gesetzlich geregelt sind. Ihr Vermieter hat ihr fristgerecht mitgeteilt, daß sie ab Januar 1991 eine höhere Miete zu zahlen hat. Eines Tages erhält sie folgenden Brief:

| | | |
|---|---|---|
| **Name und Adresse des Absenders** | Heiner Kunze<br>Verwaltung<br>Jebensstr. 15<br>1000 Berlin 12 | Berlin, den 15.03.91    **Ort und Datum** |
| **Name und Adresse des Empfängers** | Frau<br>Maria Rosales<br>Bamberger Straße 27<br>1000 Berlin 12 | Mieternummer: 005/018/41    **Geschäfts-zeichen** |
| **Betreff**<br><br>**Bezug** | Mahnung<br><br>Unser Schreiben vom 30.11.1990  St/fe | **Geschäfts-zeichen** |
| **Anrede** | Sehr geehrte Frau Rosales! | |

Bei Überprüfung unserer Buchungsunterlagen haben wir bedauerlicherweise feststellen müssen, daß Ihr Mietekonto einen Rückstand aufweist.

| | |
|---|---|
| Allgemeine Grundmieterhöhung 3 v.H.<br>DM 13,20 monatlich, Januar - März | DM 39,60 |
| Klingel-Türöffner-Gegensprechanlage<br>DM 7,60 monatlich, Januar - März | DM 22,80 |
| Anschluß für Kabelfernsehen<br>DM 6,00 monatlich, Dezember - März | DM 24,00 |
| | DM 86,40 |

**Text**

**Rand mindestens 2,5 cm**

**Papier: weiß, unliniert, DIN A4;**

Überweisen Sie bitte diesen Betrag unter Angabe Ihrer Mieternummer unverzüglich auf das Ihnen mitgeteilte Bankkonto. Falls der ausgewiesene Betrag mit Ihren Unterlagen nicht übereinstimmt, setzen Sie sich sofort zwecks Klärung mit unserer Mietebuchhaltung in Verbindung.

**Grußformel**

Mit freundlichen Grüßen
i.A.

**Unter-schrift**

*Heiner Kunze*

Heiner Kunze
Hausverwaltung

DIN: ursprünglich Abkürzung für *Deutsche Industrie-Norm*, seit 1975 Abkürzung für *Deutsches Institut für Normung*

DIN A 4: Format 210 mm × 297 mm

Maria geht daraufhin zum Mieterverein und erkundigt sich, ob die Mieterhöhung Rechtens ist.

Sie erfährt folgendes:

Die allgemeine Grundmieterhöhung ist unzulässig, weil das Haus in schlechtem Zustand ist, z. B. sind der Hausflur und die Treppenräume nicht ordnungsgemäß gestrichen.

Der Einbau der Klingel-Türöffner-Gegensprechanlage stellt eine Modernisierung dar und darf auf die Miete umgelegt werden.

Es ist rechtlich umstritten, ob die Kosten für die Verkabelung auf die Miete umgelegt werden dürfen.

Übung

Helfen Sie Maria Rosales beim Schreiben eines Antwortbriefes.
Beachten Sie dabei die Formvorschriften für einen Geschäftsbrief.

Maria Rosales
Bamberger Straße 27
1000 Berlin 12

den 09. 04. 1991

Heiner Kunze
Hausverwaltung
Jebensstr. 15
1000 Berlin 12

Mieternummer: 005 / 018 / 41
Ihre Schreiben vom 30. 11. 1990 und 15. 03. 1991

Sehr geehrte Damen und Herren!

Die Erhöhung der allgemeinen Grundmiete weise ich zurück, weil . . .

# 7 | *Straßen und Plätze*

## A. Negative Auswirkungen des Individualverkehrs

### Vorlaufphase

**1**

Busse, Straßenbahnen, Taxis gehören zum *öffentlichen Verkehr.*
Privatautos, Motorräder, Fahrräder gehören zum *Individualverkehr.*

Erklären Sie die beiden Begriffe
- *öffentlicher Verkehr*
- *Individualverkehr.*

**2**

Der Individualverkehr hat für die Städte negative Auswirkungen.
Sprechen Sie über die folgende Skizze.

Den Pfeil können Sie durch Verben oder Wortgruppen umschreiben, z. B. *führen zu, verursachen, Ursache sein von.*

Bilden Sie Nominalkomposita.
Beispiel: Belästigung durch Lärm
→ *Lärmbelästigung*

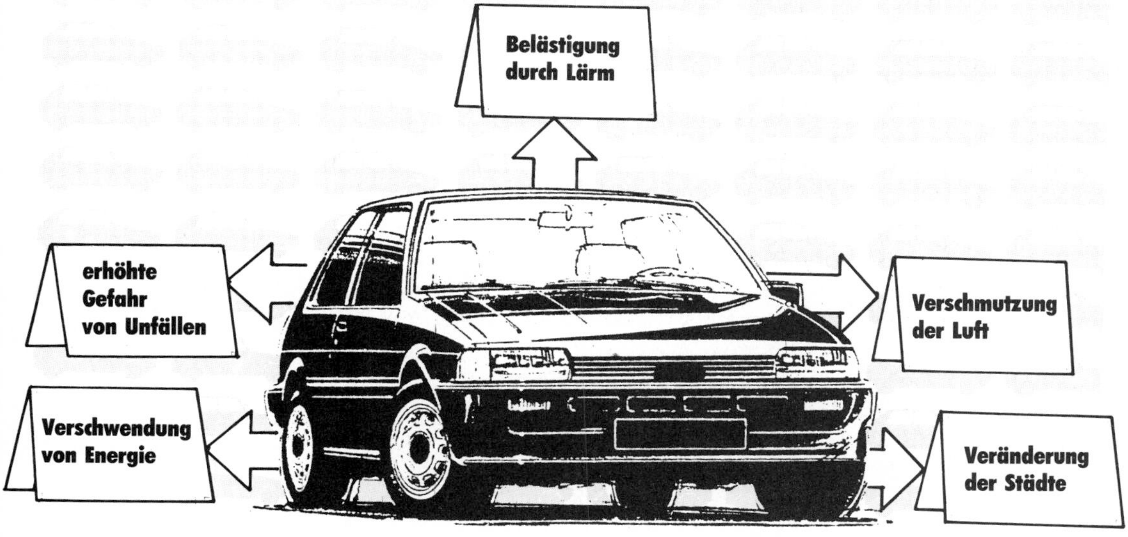

Belästigung durch Lärm

erhöhte Gefahr von Unfällen

Verschmutzung der Luft

Verschwendung von Energie

Veränderung der Städte

**3**

Arbeiten Sie in Gruppen.

Jede der Gruppen beschäftigt sich mit einer Folge des Individualverkehrs.
Versuchen Sie zunächst, die fünf negativen Folgen zu erklären. Wenn Sie dazu Näheres wissen (Beispiele, Zahlen), dann stellen Sie die Informationen zusammen und referieren Sie kurz.

## Hörverstehen

**4**

Hören Sie den Text abschnittsweise.

Lesen Sie vorher die entsprechenden Aufgaben genau durch. Unbekannte Wörter werden Sie im Zusammenhang des Textes verstehen können. Kreuzen Sie nach dem ersten oder zweiten Hören des Abschnitts die richtige Lösung (bzw. die richtigen Lösungen) an.

Zu Abschnitt 1: Einleitung
Der Autor will über folgende Punkte genauer sprechen:

☐ Zunahme von Unfällen und Energieverschwendung

☐ Luftverschmutzung, Veränderung der Städte durch neue Straßenführung, Energieverschwendung

☐ Luftverschmutzung, Lärmbelästigung, Veränderung der Städte durch neue Straßenführung

Zu Abschnitt 2: Luftverschmutzung
Kohlenmonoxid ist ein Gas, das

☐ vom Menschen nicht direkt wahrgenommen werden kann;

☐ einen stechenden (= intensiven) Geruch hat;

☐ eine gelbe Farbe hat.

Kohlenmonoxid führt zu Vergiftungserscheinungen, wenn es auftritt

☐ in sehr hohen Konzentrationen;

☐ in sehr geringen Konzentrationen;

☐ in größeren Konzentrationen.

Bei 80 Dezibel ist der Lärm

☐ lästig;

☐ sowohl lästig als auch gesundheitsschädlich;

☐ noch nicht gesundheitsschädlich, aber lästig.

Zu Abschnitt 4: Veränderung der Städte
Der Autor hat zu diesem Problem folgende Meinung:

☐ Er spricht begeistert über die Veränderung der Städte.

☐ Er kritisiert diese Entwicklung mit harten Worten.

☐ Er kritisiert nicht offen, aber man kann aus seinen Worten Kritik heraushören.

**5**

Arbeiten Sie jetzt wieder in Gruppen. Greifen Sie auf die Ergebnisse der Aufgabe 3 zurück.

Zu drei Punkten haben Sie nun Zusatzinformationen.
Halten Sie – mit Hilfe eines Stichwortzettels – Kurzvorträge über
1. Luftverschmutzung durch das Auto;
2. Lärmbelästigung;
3. Veränderung der Städte.

**6**

Wäre der Anhänger des Großstadtlebens, dessen Meinung Sie auf S. 55/56 kennengelernt haben, mit dieser Beurteilung des Individualverkehrs einverstanden? Können Sie sich vorstellen, welche Argumente diese Person vorbringen würde?

▷ *AB S. 94–97*

*Loriot*

An der Ampel ist der Kleinwagen eines Anfängers abgesoffen. Die Ampel zeigt Grün, dann Gelb, dann Rot, schließlich wieder Grün. Da der Wagen den Verkehr aufhält, tritt ein Polizist heran und fragt: „Haben wir denn keine Farbe, die Ihren Geschmack trifft?"

# B. Diskussion: Pro und contra Individualverkehr in den Städten

**1**

Wenn Sie an einer Diskussion, die auf deutsch geführt wird, teilnehmen wollen, dann müssen Sie vorher möglichst viele Informationen zu dem gewählten Thema *in deutscher Sprache* sammeln und ordnen.

**2**

Sie haben in der Lektion 7 A wichtige Argumente *gegen* die Entwicklung des Individualverkehrs gehört.

Sammeln Sie nun – in der Gruppe – Argumente, die *für* eine Entwicklung des Individualverkehrs auch in den Städten sprechen.

**3**

Überlegen Sie, welche Position Sie einnehmen wollen (Pro/Contra?).
Formulieren Sie ein Statement (vgl. dazu Lektion 5, S. 54).

**4**

Wenn die Statements vorgetragen sind, wird die eigentliche Diskussion in Gang kommen, d. h. Sie müssen versuchen, gegenüber Ihrem Gegner Ihre Behauptungen/Meinungen zu halten, Ihre Argumente zu verteidigen, u. U. neue Argumente bringen oder diese durch Beispiele erläutern, dem Gegner widersprechen, ihm einiges zugestehen, dieses aber relativieren.

**5**

Für diese wichtigen Sprechabsichten in einer Diskussion gibt es eine Fülle von Redemitteln. Wir können Ihnen hier nur einige nennen. Ergänzen Sie selbst.

| Sprechabsichten | Redemittel |
| --- | --- |
| Seine Meinung/Überzeugung/Ansicht zum Ausdruck bringen | Ich bin der Meinung, daß ... <br> Nach meiner Ansicht ... <br> Ich bin davon überzeugt, daß ... <br> Ich würde lieber ... |
| Seine Meinung begründen | Kausalkonjunktionen (z. B. weil, denn) <br> Ich möchte das so begründen ... <br> Ein ganz wichtiges Argument habe ich noch nicht genannt ... <br> Hauptgrund ist für mich ... |
| Der Ansicht des Gegners widersprechen/seine Argumente abschwächen | Das bezweifle ich. <br> Das halte ich für falsch. <br> Hier bin ich anders informiert. <br> Unmöglich! <br> Das ist meiner Ansicht nach ein falscher Schluß. <br> Doch! |
| Dem Gegner etwas zugeben, dies aber relativieren | Das stimmt zwar – aber ... <br> In diesem Punkt haben Sie zwar recht, trotzdem ... <br> Sicher. Das mag stimmen. Aber ... |
| Etwas näher erklären, durch Beispiele erläutern | Ich muß das genauer erklären. <br> Ich möchte dies durch ein Beispiel veranschaulichen/belegen. |
| Jemanden unterbrechen | Moment mal! <br> Entschuldigen Sie, daß ich unterbreche! Aber ... <br> Wenn ich vielleicht etwas dazu sagen darf: ... |
| Darum bitten, zu Ende reden zu dürfen | Darf ich bitte meinen Gedanken zu Ende führen? <br> Wenn Sie mich das bitte noch sagen lassen: ... |

**6**

Zwei Mitglieder Ihrer Gruppe versuchen eine ca. fünfminütige Diskussion zum Thema *Individualverkehr in den Städten* zu führen.
Nehmen Sie diese Diskussion auf Band auf.

Der Lehrer spielt sie Ihnen mehrmals vor (u. U. in Abschnitten).

Nennen Sie Inhalt und Reihenfolge der Argumente/Gegenargumente.
Notieren Sie die Redemittel, die Sie hörend erkennen können.

# C. Max von der Grün: Meine Straße

## Vorlaufphase

**1**

Sie werden jetzt zwei Ausschnitte aus dem Roman *Stellenweise Glatteis* von Max von der Grün kennenlernen, der als bedeutendster Arbeiter-Schriftsteller der Bundesrepublik gilt.

**2**

Gibt es in Ihrem Land auch Arbeiter-Schriftsteller?
Worüber schreiben sie?
Werden ihre Bücher von Arbeitern gelesen? Warum (nicht)?

---

Kurze Bio-Bibliographie

**Max von der Grün,** 1926 in Bayreuth geboren, arbeitete nach Krieg und Gefangenschaft als Maurer, Angestellter und Bergmann. Seit 1964 lebt er als freier Schriftsteller in Dortmund. Seiner Initiative ist die Gründung der Gruppe 61, einer Vereinigung von Arbeiter-Schriftstellern, zu verdanken. Wichtige Veröffentlichungen: Männer in zweifacher Nacht, Roman (1962); Irrlicht und Feuer, Roman (1963); Zwei Briefe an Pospischiel, Roman (1968); Stellenweise Glatteis, Roman (1973); Späte Liebe, Roman (1984); Die Lawine, Roman (1986). Außerdem schreibt er Essays, Hör- und Fernsehspiele.

---

## Leseverstehen

Max von der Grün

### Meine Straße

Die Straße, in der ich wohne, heißt: Die lange Straße. Dabei ist sie gar nicht so lang, etwa einen Kilometer. Sie beginnt an der Bundesstraße 54, an einer Stra-
5 ßenbahnhaltestelle, und verläuft gerade nach Osten bis zu den Feldern. Sie ist breit und liegt fünfhundert Meter von der Autobahn entfernt. Die Leute haben sie aufgeteilt in die Waldseite
10 und in die Autobahnseite, in die grüne und in die schwarze Seite. Auf der Waldseite stehen die Bungalows und Villen von Direktoren, Ärzten, Rechtsanwälten, Kaufleuten, Handwerksmei-
15 stern und Fuhrunternehmern. Hinter ihren langgestreckten Gärten beginnt der Wald, er steht unter Naturschutz. Ich wohne auf der Autobahnseite. Sie

hat kleine Einfamilienhäuser und drei-
stöckige Mietshäuser, sozialer Woh- 20
nungsbau. Auf meiner Seite wohnen
Arbeiter und kleine Angestellte, ihre
Wohnungen kosten zwischen 180 und
260 Mark im Monat. Die Autos auf der
grünen Seite sind größer und teurer, 25
und wenn die Frauen der grünen Seite
wegfahren, nehmen sie den Zweitwa-
gen. Die Frauen unserer Seite fahren
mit der Straßenbahn.
Auch sonst gibt es Unterschiede, die 30
aber nicht zu beweisen sind: Die grüne
Seite wählt FDP, die CDU ist ihnen zu
schwarz, die SPD zu rot, unsere Seite
wählt SPD, und bei der letzten Land-
tagswahl erhielten sogar die Kommuni- 35
sten 161 Stimmen.
Eine ruhige Straße, eine saubere Straße. Nur wenn der Wind von Osten
kommt, von der drei Kilometer ent-

▷

fernten Zeche und Kokerei, dann weht der Staub durch unsere Straße und es ist vor Gestank kaum auszuhalten. Staub und Gestank dringen durch die feinsten Ritzen in Fenstern und Türen. Das hält oft tagelang an, ist es vorbei, machen die Frauen großen Hausputz und lüften stundenlang die Wohnungen.

Das erste Haus auf der Waldseite gehört dem Schreinermeister Wölbert, das zweite einem Frauenarzt, der seine Praxis in der Innenstadt hat und sich über die Bordsteinschwalben entrüstet, obwohl sie seine besten Kunden sind. Im dritten Haus wohnt ein Rechtsanwalt, auch er hat seine Praxis in der Innenstadt, im vierten ein Bezirksdirektor der Allianz-Versicherungen, im fünften der Chefingenieur einer großen Maschinenfabrik, im sechsten... im siebenten... Die Häuser auf der Waldseite gehören denen, die drin wohnen, auf der schwarzen Seite bezahlt man Miete. Man kann schon unzufrieden werden, wenn man täglich diese Bungalows und Villen vor Augen hat und sich vorstellt, daß die auf der grünen Seite Zimmer haben, so groß wie unsere gesamte Wohnung, und Gärten, halb so groß wie ein Fußballplatz. Man könnte unzufrieden werden, wenn man nicht wüßte, daß es in anderen Vororten schlimmer ist, besonders in den Hochhäusern, wo sich die Menschen so fremd sind und erschrecken, wenn sie gegrüßt werden.

**Erklärungen**

der Fuhrunternehmer, -: der Besitzer eines Transportunternehmens

sozialer Wohnungsbau: mit öffentlichen Mitteln gebaute Wohnungen für Mieter mit niedrigem Einkommen

die FDP = Freie Demokratische Partei

die CDU = Christlich Demokratische Union

die SPD = Sozialdemokratische Partei Deutschlands

die Zeche, -n: das Bergwerk

die Kokerei, -en: die Anlage zur Gewinnung von Koks

die Bordsteinschwalbe, -n: die Prostituierte

**3**

Worum geht es in dem Text?
Welche Themen werden von dem Autor angesprochen?
Wodurch unterscheidet sich dieser Text von einem Sachtext?

**4**

Welche Absicht verfolgt der Autor mit dieser Beschreibung?

**5**

Wie unterscheiden sich die beiden Seiten der Straße?
Lesen Sie den Text noch einmal und notieren Sie die Unterschiede.

| Waldseite | Autobahnseite |
| --- | --- |
| | |

**6**

Geben Sie die Gegensätze in Ihrer Rede wieder.
Verwenden Sie dabei die in Lektion 5 D, S. 57, genannten Redemittel für Gegensätze.

**7**

Welche Umstände sind für die Bewohner beider Seiten gleich?

**8**

Können Sie aus dem Wahlverhalten der Bewohner dieser Straße auf die politische Richtung der genannten Parteien schließen?

**9**

Wer kann sich in der Bundesrepublik ein schönes, großes Haus mit Garten leisten? Gehören die genannten Berufsgruppen auch in Ihrem Heimatland zu den Wohlhabenden?

**10**

Sind die Bewohner der Mietshäuser auf der Autobahnseite mit ihren Wohnverhältnissen zufrieden? Warum (nicht)?

**11**

Sehen Sie hier eine Parallele zu dem Text *Das Bedürfnis nach Kontakt und Kommunikation* (Lektion 5 B)?

Reparaturen

*Loriot*

Kleinere Arbeiten, die keine Fachkenntnisse voraussetzen,
verrichten Sie am besten selbst, ehe der Schaden größer wird.

# D. Der Marienplatz in München

## Leseverstehen

### 1

Welche Bedeutung/welche Aufgaben haben öffentliche Plätze einer Stadt?

### 2

Welche Baudenkmäler/Gebäude sind Ihrer Meinung nach für öffentliche Plätze charakteristisch?

### 3

Wissen Sie etwas über die Geschichte eines wichtigen Platzes in Ihrem Heimatland oder in der Bundesrepublik Deutschland?

### 4

Der schwedische Medizinstudent Bertil studiert in diesem Semester in München. Er kennt sich noch nicht gut aus in dieser Stadt, aber zum Wochenende will ihn seine französische Freundin Claire besuchen. Er möchte ihr gerne die Stadt zeigen, und da er kein Französisch spricht, muß er sich auf deutsch mit ihr verständigen.

### 5

Bertil informiert sich u. a. über einen der bedeutendsten Münchner Plätze: den Marienplatz. Er kauft sich einen kleinen Stadtführer und findet darin eine Beschreibung des Platzes.

**Marienplatz**

der die urbane Mitte Münchens darstellt – und dies schon seit 1158, seit der Gründung der Stadt. Seinen heutigen Namen erhielt der Platz erst 1854, zuvor war er als Schrannenplatz bezeichnet worden, da die Bauern hier ihre Produkte verkauften.

**Neues Rathaus**

Die gesamte Nordseite des Marienplatzes wird vom Neuen Rathaus eingenommen, das zwischen 1867 und 1908 nach Entwürfen von Georg Hauberrisser erbaut wurde. Die *Hauptfassade* des in überreicher Gotik um sechs Innenhöfe herum erbauten Rathauses ist mit bayerischen Königen, Kurfürsten, Münchner Originalen, allegorischen Figuren und Sagengestalten geschmückt.

Dominant erhebt sich der 85 m hohe *Rathausturm*, der das viertgrößte *Glockenspiel* Europas trägt. 43 Glocken in dreieinhalb Oktaven bringen vier Weisen zum Erklingen (täglich um 11 Uhr, im Sommer auch um 17 Uhr) . . .

Während des Spiels lassen sich im Erker zwei Szenen beweglicher Figuren verfolgen: das siegreiche *Turnier*, das an die Hochzeit des bayerischen Herzogs Wilhelm V. mit Renate von Lothringen im Jahre 1568 erinnert, und der *Schäfflertanz*, der Reminiszenzen wachruft an den Tanz der Faßbinderzunft aus dem Jahr 1517, der den Überlebenden der Pest in München neuen Lebensmut einflößen sollte.

▷

### Mariensäule

Als Denkmal für die Rettung der Städte München und Landshut aus schwerster Not im Dreißigjährigen Krieg ließ Kurfürst Maximilian I. 1638 auf dem Schrannenplatz die

Mariensäule errichten. Der Monolith aus Tegernseer Rotmarmor trägt die vergoldete 2,15 m hohe *Figur der Muttergottes*. Die mit dem segnenden Christuskind auf einer Mondsichel stehende, mit Zepter und Krone ausgestattete Statue ist ein Werk von Hubert Gerhard, der sie 1594 für die Frauenkirche schuf, deren Hochaltar sie bis 1613 geschmückt hat. Vier frühbarocke *Putten*, sinnbildlich die Plagen der Menschheit, Pest,

Krieg, Hunger und Ketzerei, bekämpfend, zieren den Unterbau der Säule. Die Bronzen wurden wahrscheinlich von Jörg Petel aus Weilheim geschaffen.

### Altes Rathaus

Gegen Osten wird der Marienplatz durch das Alte Rathaus begrenzt. Der heutige Bau stammt aus den Jahren 1953/1958, orientiert sich aber an dem im Kriege zerstörten gotischen Vorbild, das von Jörg von Halspach, dem Baumeister der Frauenkirche, zwischen 1470 und 1480 geschaffen worden war. Der *gotische Saal* darin diente früher hauptsächlich dem Tanz. Erasmus Grasser schuf dafür die Folge der 16 Moriskentänzer, von denen leider nur noch 10 erhalten geblieben sind. Sie stehen heute im Münchner Stadtmuseum.

Das frühere *Talbrucktor*, das den restlichen Teil der Straße neben dem Rathaus überspannte, wurde 1972 von Erwin Schleich dem gotischen Original entsprechend wiederaufgebaut. Im Turm ist das *Spielzeugmuseum* untergebracht.

## 6

Bertil weiß, daß seine Freundin diese Texte nicht verstehen kann. Die Sätze sind zu kompliziert gebaut, viele Wörter unbekannt, manche Angaben (z. B. die Namen der Baumeister oder die genauen Jahreszahlen) überflüssig, weil man sie sich doch nicht merken kann. Er versucht nun, für *seine* Führung über den Marienplatz einen Text zu verfassen, der – in verständlicher Sprache – einiges Interessante über die Geschichte dieses Platzes und seine Gebäude berichtet.

Wie sollte ein solcher Text aussehen? Machen Sie Vorschläge (in Gruppenarbeit) und vergleichen Sie diese.

## 7

Informieren Sie sich über einen bedeutenden Platz Ihrer Stadt. Bereiten Sie – für Ihren Kurs oder für eine Gruppe von Freunden – eine Führung vor.

# Lektionen 8 – 10

## Themenbereich
### Persönliche Beziehungen, Sympathie und Interesse

# 8 | Nähe und Ferne

## A. Sprichwörter

**1**

Was ist charakteristisch für Sprichwörter?
Kennen Sie schon einige deutsche Sprichwörter? Wenn ja, welche?

**2**

Lesen Sie die Sprichwörter und besprechen Sie ihre Bedeutung in Partner- oder
Kleingruppenarbeit.

**3**

Suchen Sie jeweils zwei Sprichwörter, die
im Gegensatz zueinander stehen, und erklären Sie die Sprichwortpaare.
Was schließen Sie daraus, daß es so viele
Sprichwörter mit gegensätzlicher Bedeutung gibt?

**4**

Gibt es einige von diesen Sprichwörtern
auch in Ihrer Muttersprache? Oder Sprüche, die ähnliche Lebensweisheiten anders ausdrücken? Wenn ja, versuchen Sie,
sie ins Deutsche zu übersetzen und die
Unterschiede zu erklären.

**5**

Zeigen Sie an Beispielen, daß Sprichwörter auch im politischen Bereich gelten.

**6**

Welche von diesen Sprichwörtern entsprechen Ihrer Art zu denken?

▷ *AB S. 108*

## SPRICHWÖRTER

**Hast du was,
bist du was.**

Der Klügere gibt nach.

**Gleich und Gleich
gesellt sich gern.**

Wer zuerst kommt,
mahlt zuerst.

**Viele Köche
verderben den Brei.**

*Wie du mir,
so ich dir.*

Eile mit Weile!

**Vier Augen sehen mehr
als zwei.**

Frisch gewagt
ist halb gewonnen.

**Armut
schändet nicht.**

Besser den Spatz
in der Hand
als die Taube
auf dem Dach.

**Gegensätze
ziehen sich an.**

# B. Marie Luise Kaschnitz: Ferngespräche

## Vorlaufphase

### 1

Nehmen Sie an, Sie sind bei einem Freund zu Besuch. Es kommt ein Anruf für Ihren Freund, der zu einem langen Telefongespräch führt. Ihr Freund bittet Sie ausdrücklich, dabeizubleiben. Sie hören nur Ihren Freund, nicht seinen Partner am anderen Ende der Leitung. Warum werden Sie wahrscheinlich Äußerungen des Anrufers erraten?

### 2

Ferngespräche, bei denen wir nur einen Partner hören, hat die Schriftstellerin Marie Luise Kaschnitz als literarische Form für ihre Geschichte gewählt. In deren Mittelpunkt steht das Mädchen Angelika, das sich in Paul, einen jungen Mann aus sehr reicher Familie, verliebt hat. Die Familie ist natürlich dagegen, weil Angelika aus „einfachen, kleinen Verhältnissen" stammt. Man versucht, diese Liebe zu zerstören.

## Hörverstehen

Erstes Gespräch

Angelika Baumann (Angeli) spricht mit ihrem Paul.

### 3

Hören Sie den Text zweimal, nachdem Sie die Aufgaben gelesen haben.

1. Welche Informationen haben Sie verstanden?
2. Was erfahren Sie insbesondere über das Mädchen Angelika: seinen Charakter, seine Situation, seine Beziehung zu Paul?

3. Welche Eigenheiten der „Telefonsprache" sind Ihnen beim Hören aufgefallen?

Zweites Gespräch

Pauls Vater spricht mit Elly, seiner Tochter, also Pauls Schwester.

### 4

Hören Sie den Text zweimal und beantworten Sie dann die folgenden Fragen:

1. Welche Gründe gegen diese Verbindung nennt der Vater?
2. Glauben Sie, daß Angelika Chancen hat, in diese Familie aufgenommen zu werden? Warum (nicht)?

### 5

Lesen Sie jetzt das erste und/oder zweite Telefongespräch (▷ AB S. 253, 254).
Überall, wo mehrere Punkte stehen, hat der Telefonpartner am anderen Ende der Leitung gesprochen. Versuchen Sie, seine Äußerungen aus den folgenden Worten/ Sätzen zu ergänzen.

### 6

M. L. Kaschnitz führt die Geschichte in acht Telefongesprächen weiter. Dabei treten auch drei bisher noch nicht genannte Personen in Erscheinung: Pauls Tante Ju, Rechtsanwalt Dr. Kaminsky und – ganz am Ende – Angelikas Schulfreundin Renate.

Sie sollen nun eine Erzählung über das Schicksal des Mädchens Angelika Baumann schreiben. Beginnen Sie mit den Informationen, die Sie den gehörten Texten entnommen haben, und führen Sie dann die Geschichte zu Ende. Bedingung ist nur, daß auch Ju, Kaminsky und Renate an irgendeiner Stelle vorkommen.

**7**
Üben Sie Telefongespräche, die zwischen zwei Personen der von Ihnen erfundenen Geschichte geführt werden könnten.

▷ *AB S. 109, 110*

## C. Juliane Windhager: Nachbarn

### Vorlaufphase

**1**
Notieren Sie drei Begriffe, die Ihnen zu dem Wort *Nachbar* einfallen, und erklären Sie kurz, wie Sie darauf gekommen sind.

### Leseverstehen

## Juliane Windhager

### *Nachbarn*

Zuerst kam die Polizei, die brachen die Türe auf. Sie hatten einen Arzt bei sich.

Der war doch vom Roten Kreuz.

Was wissen denn Sie, Sie sind ja erst später gekommen. Da stand das Rotkreuzauto schon vor dem Haus. Die sind aber bald wieder weggefahren.

Weil die Ärzte nichts mehr ausrichten konnten. Bald danach fuhr der Wagen vom Bestattungsdienst vor.

▷

Sie muß schon tot gewesen sein. Bevor die Polizisten erschienen.

Die Hausbesorgerin hat dort angerufen. Bei der Polizei meine ich. Weil es ihr seltsam vorkam, daß sie tagelang nicht mehr zu sehen war.

Die Milchflaschen standen aufgereiht vor Nummer achtunddreißig. Sechs Stück. Sowas fällt doch auf.

Ja, ich hab die Flaschen gesehen. Ich dachte, sie wäre verreist.

Die fuhr doch nie weg.

Hat denn niemand geholfen?

Geholfen? Es wußte doch keiner was. Wie wollen Sie da helfen? Die ließ doch niemanden in ihre Wohnung.

Stimmt nicht. Mich ließ sie hinein. Das ist freilich schon ein halbes Jahr her.

Wie haben Sie das denn fertiggebracht? Die redete doch mit keiner Hauspartei.

Was heißt hier fertiggebracht? Was wollen Sie damit sagen? Ich hatte einen eingeschriebenen Brief für sie übernommen, aus England, weil sie nicht zu Hause war, als der Briefträger kam. Schließlich wohnten wir Tür an Tür. Reine Gefälligkeit, sonst nichts. Und dafür muß man sich noch im nachhinein dumm anreden lassen.

Wie sah's denn drinnen aus?

Wie soll es schon ausgesehen haben. Eher ärmlich. Lauter alte Möbel. Nichts Antikes, mißverstehen Sie mich nicht. Nur abgenutzt. Eine altmodische Küche. Ich sah's, weil sie die Tür offenließ, als sie dort das Geld holte. Auf dem Brief war nämlich Strafporto. Und in der Wohnung hätte es ordentlicher aussehen können. Überall lagen Stoffreste herum.

Sie hat Puppen gemacht. Ich weiß nicht mehr, wer das erzählte.

Puppen? Die war wohl verrückt?

Dazu muß man nicht verrückt sein. Es gibt Geschäfte, die so was in Auftrag geben. Spielwarenhandlungen.

Da muß sie doch etwas verdient haben.

Ja, oder was. Heimarbeit. Sie haben bestimmt noch nie Heimarbeit gemacht.

Sie nähte für kein Geschäft. Sie machte die ganzen Puppen selber, jedes Stück anders. Sie hatten komische Gesichter. Mir haben sie nicht gefallen.

Und die hat sie verkauft?

Nur ab und zu einmal. Wer erwirbt denn so überflüssige Sachen. Die meisten saßen bei ihr auf dem Sofa herum. Leben kann man von derlei wahrscheinlich nicht. Sie sagte auch, daß es ihr leid täte, sie herzugeben.

Dann hätte sie eben etwas anderes machen müssen. Etwas, das Geld einbringt. Hausschuhe oder Einkaufstaschen.

Hab ich ihr auch gesagt. Als ich zu ihr kam, um ihr den Brief zu bringen, wollte ich wieder weggehn, trotzdem ich schon angeklopft hatte. Ich hörte nämlich drinnen reden, zwei Stimmen. Eine tiefere und eine hohe. Ich dachte, Sie haben Besuch, sagte ich zu ihr, als sie mir aufmachte.

Das war nur Jegor, antwortete sie. Der dort!

Da saß eine Puppe mit einem Turban und einer langen Nase. Sie hatte Pluderhosen an, und jetzt schwieg sie. Es lief mir richtig ein bißchen kalt den Rücken hinunter.

Ich sagte es ja. Sie spinnt.

Hat gesponnen, Frau Huber.

Ob sie am Ende verhungert ist?

Wie kommen Sie auf sowas? Mit sechs Milchflaschen vor der Tür.

**Erklärungen**

die Hausbesorgerin, -nen (österr.): die Hausmeisterin

trotzdem (ugs.): obwohl (*trotzdem* als Nebensatzkonjunktion wird nicht allgemein akzeptiert)

die Pluderhose, -n: halblange, weite, faltige Hose mit Bund unter dem Knie

der Turban, -e: Kopfbedeckung (besonders der Moslems und Hindus)

## 2
Beantworten Sie folgende Fragen:

1. Was ist vor dem Gespräch, das von den Nachbarn geführt wird, geschehen? Ordnen Sie die Ereignisse chronologisch.
2. Was wissen die Nachbarn von der Verstorbenen? Wie war das Verhältnis der Nachbarn zu ihr?
3. Aus welchem Anlaß war einer der Nachbarn einmal in ihrer Wohnung? Welche Textstellen werden sicher von dieser Person gesprochen?
4. Wie sah es in der Wohnung der Verstorbenen aus?
5. Was stellte sie her und warum? Wie war ihr Verhältnis zu ihren Erzeugnissen?
6. Ist sie vielleicht doch verhungert?

## 3
Hören Sie nun den Text.
Ist dieser Text Ihrer Meinung nach auch als Hörtext geeignet?

## 4
„Was wollen Sie damit sagen?"
Menschen, die miteinander sprechen, sagen nicht immer deutlich, was sie sagen wollen. Z. B. möchte nicht jeder, der eine Frage stellt, wirklich etwas wissen. Haben Sie verstanden, was die Personen sagen wollen?

Kreuzen Sie die Sprechabsicht an!

1. A: „Der war doch vom Roten Kreuz." – B: „Was wissen denn Sie, Sie sind ja erst später gekommen."

☐ B meint, daß A gar nichts weiß von dem, was passiert ist.

☐ B möchte gern wissen, was A über das Rote Kreuz weiß.

☐ B meint, daß A genau weiß, was passiert ist, weil A später gekommen ist.

2. A: „Hat denn niemand geholfen?" – B: „Geholfen? Es wußte doch keiner was. Wie wollen Sie da helfen?"

☐ B möchte gern wissen, was A mit dem Ausdruck *geholfen* meint.

☐ B meint, daß die Frage von A nicht viel Sinn hat.

3. A: „Wie haben Sie das denn fertiggebracht? Die redete doch mit keiner Hauspartei." – B: „Was heißt hier fertiggebracht? Was wollen Sie damit sagen?"

☐ B weist die Frage von A empört zurück.

☐ B bittet um eine Präzisierung des Ausdrucks *fertiggebracht*. A soll antworten.

4. A: „Wie sah's denn drinnen aus?" – B: „Wie soll es schon ausgesehen haben."

☐ B meint, daß man auf die Frage von A keine interessante Antwort erwarten kann.

☐ B kann die Frage von A nicht beantworten.

☐ B will die Frage von A nicht beantworten.

Häufig ändert sich mit der Eheschließung die Situation grundlegend. Der Ehevertrag gibt beiden das exklusive Besitzrecht auf den Körper, die Gefühle, die Zuwendung des anderen. Niemand muß mehr gewonnen werden, denn die Liebe ist zu etwas geworden, was man hat, zu einem Besitz.

50 Die beiden lassen in ihrem Bemühen nach, liebenswert zu sein und Liebe zu erwecken, sie werden langweilig, und ihre Schönheit schwindet. Sie sind enttäuscht und ratlos. Sind sie nicht mehr dieselben? Haben sie von Anfang an einen Fehler gemacht? Gewöhnlich suchen sie die Ursache der Veränderung beim anderen und fühlen sich betrogen. Was sie nicht begreifen, ist, daß sie beide
55 nicht mehr die Menschen sind, die sie waren, als sie sich ineinander verliebten; daß der Irrtum, man könne Liebe *haben*, sie dazu verleitete, aufzuhören zu lieben. Sie arrangieren sich nun auf dieser Ebene, und statt einander zu lieben, besitzen sie gemeinsam, was sie haben: Geld, gesellschaftliche Stellung, ein Zuhause, Kinder. Die mit Liebe beginnende Ehe verwandelt sich so in einigen
60 Fällen in eine freundschaftliche Eigentümergemeinschaft, eine Körperschaft, in der zwei Egoismen sich vereinen: die »Familie«. In anderen Fällen sehnen sich die Beteiligten weiterhin nach dem Wiedererwachen ihrer früheren Gefühle, und der eine oder andere gibt sich der Illusion hin, daß ein neuer Partner seine Sehnsucht erfüllen werde. Sie glauben, nichts weiter als Liebe zu wollen. Aber
65 Liebe ist für sie ein Idol, eine Göttin, der sie sich unterwerfen wollen, nicht ein Ausdruck ihres Seins. Sie scheitern zwangsläufig, denn »Liebe ist ein Kind der Freiheit« (wie es in einem alten französischen Lied heißt), und die Anbeter der Göttin Liebe versinken schließlich in solche Passivität, daß sie langweilig werden und verlieren, was von früherer Anziehungskraft noch übrig war.
70 Diese Feststellungen schließen nicht aus, daß die Ehe der beste Weg für zwei Menschen sein kann, die einander lieben. Die Problematik liegt nicht in der Ehe als solcher, sondern in der besitzorientierten Charakterstruktur beider Partner und, letzten Endes, der Gesellschaft, in der sie leben. Die Befürworter moderner Formen des Zusammenlebens wie Gruppenehe, Partnertausch, Gruppensex etc.,
75 versuchen, soweit ich das sehen kann, nur, ihre Schwierigkeiten in der Liebe zu umgehen, indem sie die Langeweile mit ständig neuen Stimuli bekämpfen und die Zahl der Partner erhöhen, statt einen wirklich zu lieben.**

*Aus: Erich Fromm. Haben oder Sein. Stuttgart 1976. Fromms Anmerkungen an den mit *, ** bezeichneten Stellen geben wir im Quellenverzeichnis wieder.*

Erklärungen

Z. 4 mithin: also
Z. 8 implizieren: einschließen, zur Folge haben
Z. 25 die Zweckdienlichkeit; hier: etwas, was dem Wohl (der Gesellschaft) dient
Z. 32 die Anziehung: die Attraktivität, Attraktion
Z. 33 das Äquivalent, -e: gleichwertiger Ersatz

Z. 48 die Zuwendung: freundliche, liebevolle Aufmerksamkeit
Z. 57 sich arrangieren: sich verständigen und eine Lösung finden
Z. 73 der Befürworter: jemand, der für etwas ist, etwas unterstützt
Z. 76 der Stimulus, -i: der Reiz, Anreiz, etwas zu tun

**4**

Suchen Sie aus dem Text alle Substantive, Adjektive und Verben heraus, die sich auf Lieben in der Weise des Seins und in der Weise des Habens beziehen.

| Lieben in der Weise | | | | | |
|---|---|---|---|---|---|
| des Seins | | | des Habens | | |
| Substantive | Adjektive | Verben | Substantive | Adjektive | Verben |
| | | | | | |
| | | | | | |
| | | | | | |
| | | | | | |
| | | | | | |
| | | | | | |

▷ *AB S. 110*

**5**

Wird mehr vom Lieben in der Weise des Seins oder der des Habens gesprochen? Was mögen die Gründe dafür sein?

**6**

Wortschatz

*Z. 1* Heißt *je nachdem*

☐ abhängig von

☐ vielleicht?

*Z. 13* „Wird Liebe . . .“
Welche Konjunktion kann man hier einsetzen?

*Z. 14* Warum steht *liebt* in Anführungszeichen?

*Z. 14* Haben die drei Infinitive eine ähnliche Bedeutung?
Muß man alle drei genau verstehen?

*Z. 15* Sind alle Adjektive Synonyme? Welche haben eine positive, welche eine negative Bedeutung?

*Z. 19/20 und Z. 28* Erklären Sie den Bedeutungsunterschied:
„von physischen *bis zu* psychischen Quälereien“ – „*bis zu* dem Augenblick“.

*Z. 44* Heißt *also*

☐ endlich

☐ auf diese Weise

☐ folglich?

**7**
Übung zu den Textbezügen

Z. 1/2 „. . ., ob davon in der Weise des Habens oder der des Seins die Rede ist".
Welche Wörter wurden hier weggelassen?

Z. 13 „Wird Liebe aber in der Weise des Habens erlebt, so bedeutet dies, . . ."
Worauf bezieht sich *dies*?

Z. 15/16 „Was als Liebe *bezeichnet* wird, ist meist ein Mißbrauch des Wortes, . . ."
Was ist ein *Mißbrauch des Wortes*?

Z. 18–21 „Die Berichte über Grausamkeiten gegenüber Kindern, von physischen bis zu psychischen Quälereien, von Vernachlässigung und purer Besitzgier bis hin zum Sadismus, die wir in bezug auf die letzten zwei Jahrtausende westlicher Geschichte besitzen, sind so schockierend, daß . . ."

Wer oder was ist *schockierend*?

☐ Die Berichte;

☐ die Quälereien;

☐ die letzten zwei Jahrtausende westlicher Geschichte.

Z. 23 „Für die Ehe gilt das gleiche . . ."
Was ist *das gleiche*?

Z. 24/25 „Paare, die einander wirklich lieben, scheinen die Ausnahme zu sein."
*Die Ausnahme* von welcher Regel?

Z. 29/30 „Heute kann man in dieser Hinsicht einen gewissen Fortschritt feststellen . . ."
In *welcher* Hinsicht?

Z. 46 „Häufig ändert sich mit der Eheschließung die Situation grundlegend."
*Welche Situation* ändert sich?

Z. 50 „Die beiden lassen in ihrem Bemühen nach, . . ."
Welche *beiden* sind gemeint?

Z. 53/54 „Gewöhnlich suchen sie die Ursache der Veränderung beim anderen . . ."
Wer oder was hat sich *verändert*?

**8**
Markieren Sie die Hauptinformationen und kürzen Sie dann den Text auf etwa ein Drittel seiner Länge.
Beachten Sie folgende Regeln beim Kürzen:

---

● Die Kürzung muß alle wesentlichen Informationen der Vorlage enthalten. Diese Informationen dürfen inhaltlich nicht verändert oder kommentiert werden.
● Die gekürzte Fassung muß einen selbständigen, zusammenhängenden und lesbaren Text ergeben.
● Bei der Formulierung des Textes mit eigenen Worten müssen Sie diejenigen Textteile (u. a. Beispiele, Vergleiche) weglassen, die zum Verständnis nicht nötig sind.

---

Die folgenden Fragen sollen Ihnen bei der Lösung der Aufgabe helfen. Reihen Sie die Antworten aneinander und verbinden Sie diese durch Adverbien und Konjunktionen, damit sich ein geschlossener Text ergibt.

Welche Formen des Liebens werden in diesem Text dargestellt?
Was ist der Unterschied zwischen Liebe und Lieben?
Wie wirkt Lieben in der Weise des Seins?
Welche Konsequenzen hat die Liebe in der Weise des Habens für das Verhältnis

zwischen Eltern und Kindern und zwischen Eheleuten?

Was verstand man früher unter Liebe in der Ehe? Welchen Fortschritt kann man heute in dieser Hinsicht feststellen?

Wie sieht das Verhältnis zwischen Mann und Frau vor und nach der Eheschließung häufig aus?

Was hält der Autor von der Ehe und von modernen Formen des Zusammenlebens?

Tragen Sie Ihre Ergebnisse vor.

**9**

Zur Diskussion

Sind Sie mit Fromms Theorie einverstanden? Was könnte man gegen diese Theorie einwenden?

*Sich-selbst-Sein*
*Du-Sein*
*Ich-Sein*
*Sich-Haben im Sein*

▷ *AB S. 111*

# E. Liebesgedichte

MORGENS UND ABENDS
ZU LESEN


Der, den ich liebe
Hat mir gesagt
Daß er mich braucht.

Drum
Gebe ich auf mich acht
Sehe auf meinen Weg und
Fürchte von jedem Regentropfen
Daß er mich erschlagen könnte.

Bertolt Brecht

DICH


Dich nicht näher denken
und dich nicht weiter denken
dich denken wo du bist
weil du dort wirklich bist

Dich nicht älter denken
und dich nicht jünger denken
nicht größer nicht kleiner
nicht hitziger und nicht kälter

Dich denken und mich nach dir sehnen
dich sehen wollen
und dich liebhaben
so wie du wirklich bist

Erich Fried

## UNTERWEGS MIT M.

Im Auto gemeinsam
unterwegs auf vergessenen Straßen
geborstene Wespen am Glas
platzender Regen
Sonne und Dunkelheit
und wieder Sonne: Wechsel
weniger Worte. Abwesendes
Beieinandersein. Sorglos.
Glück.

Günter Kunert

# 1

Welches Gedicht gefällt Ihnen am besten?
Warum?

# 2

Zu *Morgens und abends zu lesen*

**Bertolt Brecht** (*1898 Augsburg/†1956 Berlin/Ost),
bedeutender Dramatiker und Lyriker; Vertreter einer
engagierten Dichtung.

Wie interpretieren Sie den Titel?
Was würden Sie zu einem solchen Titel
schreiben?
Schreiben Sie die zweite Strophe des Ge-
dichts neu und vergleichen Sie ihre eigene
Strophe mit dem Original.

# 3

Zu *Dich*

**Erich Fried** (* 1921 Wien/† 1988 London), ab 1938 Emi-
grant in London, seit 1946 freier Schriftsteller; moderner Lyriker, Erzähler und Hörspielautor.

Erinnern Sie sich an den Text von Erich
Fromm? Schreiben Sie das Gedicht nun
um, nicht wie Fried in der Weise des
Seins, sondern in der Weise des Habens.

# 4

Zu *Unterwegs mit M.*

**Günter Kunert** (* 1929 Berlin), schreibt Gedichte und
Prosa, kam 1979 aus der Deutschen Demokratischen
Republik in die Bundesrepublik Deutschland.

Ist *Abwesendes Beieinandersein* Ihrer Ansicht nach Glück?
Welche Bilder verwendet Kunert, um eine
solche Situation zu beschreiben? Würden
Sie andere Bilder verwenden? Wenn ja,
welche?

# 5

Lernen Sie eines der Gedichte auswendig
und übersetzen Sie es in Ihre Muttersprache.

# 6

Erinnern Sie sich an ein Liebesgedicht in
Ihrer Muttersprache? Was gefällt Ihnen
an diesem Gedicht besonders? Können
Sie es rezitieren?

▷ *AB S. 266*

# 9 | *Im Studium: Kontakte und Beziehungen*

## A. Wie findet man Kontakte?

### Vorlaufphase

**1**

Man hört oft Klagen über die Isolation und Einsamkeit ausländischer Studenten an ihren Studienorten.
Haben Sie Erfahrungen mit diesem Problem?

Würden ausländische Studenten (Ausländer) in Ihrem Heimatland schnell(er) Kontakt finden? Warum?

**2**

Wie weit soll sich – Ihrer Meinung nach – ein ausländischer Student in einem fremden Land anpassen?

Klären Sie, wenn notwendig, vorher den Begriff *Anpassung* mit Hilfe des Lehrers.

### Hörverstehen

**3**

Hören Sie die Äußerungen mehrerer ausländischer Studenten zum Problem *Kontakte*.

**4**

Versuchen Sie, die Anzahl der Sprecher zu bestimmen.

Sammeln Sie in der Gruppe möglichst viele Einzelaussagen und notieren Sie diese. Wo können Sie Übereinstimmungen, wo Widersprüche feststellen?

**5**

Würden Sie den einzelnen Äußerungen zustimmen oder widersprechen?

**6**

Welche Ratschläge würden Sie einem Kommilitonen geben, der sehr isoliert lebt?

> Notizen   Notizen   Notizen   Notizen   Notizen   Notizen
>
> – Sport treiben
>
> – mit Freunden musizieren
>
> – gemeinsam kochen
>
> – ins Kino gehen
>
> – Bekannte einladen
>
> – seine Hilfe anbieten
>
> – in Arbeitsgruppen mitmachen

# B. Verhalten gegenüber dem Fremden

Bei Kontakten zwischen Ausländern und Deutschen kommt es leicht zu Mißverständnissen. Lesen Sie (in Gruppen) die folgenden Äußerungen ausländischer Studenten.

## Leseverstehen

### Eine italienische Studentin berichtet

„Jeden Morgen saß ich am Tisch mit Leuten, deren Gesichter hinter Zeitungen versteckt waren. Ich selbst hatte keine Lust zum Lesen am Morgen, hatte auch keine Ahnung von Lokalpolitik, und ich dachte, wenn die kein Interesse an mir haben, gehe ich in die Mensa zum Frühstücken. Dort saßen auch viele Studenten mit Zeitungen, aber bald fand sich eine Gruppe, die sich fast jeden Tag dort traf und ein bißchen ‚schwätzte‘."

### Eine griechische Studentin berichtet

„Obwohl ich wußte, daß man in Deutschland abends auch kalt ißt (Brot, Wurst, Käse, Tee), hatte ich doch ein distanziertes Gefühl, als ich bei einer Familie eingeladen war, die ich gut kannte. Es gab kein warmes Essen, und ich mußte mit dem Gedanken kämpfen, daß sie für mich nicht viel Geld ausgeben wollten (obwohl die Wurst- und Käseplatte teurer ist als manche warme Mahlzeit)."

### Ein amerikanischer Student berichtet

„Ich habe mich immer gefragt, was die deutschen Studenten in ihren Zimmern machen. Ich wohne in einem Wohnheim und war sehr erstaunt, daß die Leute die Türen immer hinter sich zumachen. Ich habe mich nie getraut, jemanden etwas zu fragen und an die Tür zu klopfen, bis eines Tages die Deutschen mich fragten, warum ich immer meine Tür offen lasse. Ich sagte, daß ich das so von zu Hause gewohnt sei und daß ich sie nur zumache, wenn ich wirklich allein sein wolle. Die anderen haben geglaubt, ich lasse die Tür offen, weil ich mich allein fühlte und hoffte, daß dann jemand reinkommt."

**1**
Worin bestehen die Mißverständnisse?

**2**
Wodurch kommt es zu solchen Mißverständnissen?

**3**
Welche Verhaltensweisen der Deutschen sind Ihnen fremd?
Haben Sie schon erlebt, daß Deutschen manche Ihrer Verhaltensweisen fremd vorkommen?

**4**
Welche Äußerung zeigt, daß Studenten meist mit Vorwissen nach Deutschland kommen?

**5**
Mit welchen Vorinformationen sind Sie nach Deutschland gekommen?
Sind diese Informationen durch Ihre Erfahrungen bestätigt oder widerlegt worden?

**6**
Welche Vor- und Nachteile hat es, wenn man mit Vorinformationen in ein fremdes Land reist?

# C. Vor vielen Leuten sprechen, in Arbeitsgruppen arbeiten

## Vorlaufphase

### 1

Erinnern Sie sich noch an den Text *Einige Hinweise für Erstsemester und solche, die es werden wollen* in Lektion 3 D, S. 29? Worum ging es da? Welche Ratschläge gab der Autor?

Der folgende Textausschnitt ist die Fortsetzung dieses Textes. Sie sollen diesen Textausschnitt kursorisch lesen, d. h. nur auf die Hauptinformationen achten.

## Leseverstehen

*Wolf Wagner*

### Vorweg: Einige Hinweise für Erstsemester und solche, die es werden wollen

Es ist sehr schwierig, in den Plenarsitzungen etwas zu sagen vor all den Leuten, die du nicht kennst und die alle so klug gucken. [...] Es ist deshalb auch keine Katastrophe, wenn
5  du im ersten Semester kaum jemals was im Plenum sagst. Wichtiger ist es, daß du in der Arbeitsgruppe mitdiskutierst. Vielleicht könnt ihr da vereinbaren, euch gegenseitig beim Gruppenbericht fürs Plenum abzulösen.
10  Wenn du nicht mehr weiter weißt, kann ein anderes Mitglied der Arbeitsgruppe einspringen, so wie vorher vereinbart. Das passiert jetzt auch immer öfter bei Vollversammlungen, wo es noch viel schwieriger ist, vor all
15  den Leuten zu reden: Da gehen eben zwei hoch ans Mikrofon und helfen sich gegenseitig. Auf diese Weise wird die Angstschwelle abgebaut, und mit der Zeit wird es zur gewohnten Sache. Ein guter Anfang ist es auch,
20  das erste Mal (wenn möglich schon in der ersten Sitzung) irgend etwas Technisches zu fragen, etwa: »Wieviel Seiten muß denn so ein Referat haben?« Dann ist es das nächste Mal schon viel leichter, eine Frage zum Stoff
25  zu stellen. Wenn es in der Veranstaltung Arbeitsgruppen gibt, dann ist das zuerst einmal gut. Wie es dann läuft, hängt ganz wesentlich auch von dir ab! Sorg dafür, daß die Gruppe sich jede Woche regelmäßig trifft, daß ihr
30  mehrere Stunden Zeit habt sowohl für die Arbeit am Fach, als auch für persönliches und allgemeines Ausquatschen. Besprich mit den anderen in der Arbeitsgruppe schon am Anfang, was sie sich von der Arbeit erwarten.
35  Mach dir selbst und den anderen deine eigene Zielsetzung ganz klar, und wenn es da erhebliche Unterschiede gibt und wenn ihr mehr als fünf seid, dann teilt die Gruppe lieber auf. Vereinbart einen festen Termin und besteht
40  darauf, daß von Anfang an alle pünktlich kommen. Nichts ist so ärgerlich und auf die Dauer sprengend wie die ewige Warterei der einigermaßen Pünktlichen auf die anderen. Und bei der Arbeit am Stoff vergeßt in der Gruppe
45  nicht: Ihr seid keine Akkordgruppe zur Erlangung eines Scheines, sondern ihr wollt zusammen ein Problem lösen, das euch interessiert. Dazu müßt ihr aber auch über euch selbst reden und dürft euch nicht voreinander
50  hinter dem Stoff verstecken. Schon in der ersten Sitzung solltet ihr in einer Kneipe reihum über euch selbst erzählen. Im weiteren Verlauf müßt ihr mit Vorrang über Schwierigkeiten in der Gruppe, Aggressionen, Konkurrenzge-
55  fühle etc. reden. [...] Wenn ihr so intensiv und euch einigermaßen dabei leiden könnt, dann wird aus euch vielleicht sogar ein Studienkollektiv. Das heißt: Ihr lauft nicht nach erfüllter Scheinanforderung auseinander, sondern ihr
60  überlegt euch, welche Veranstaltung ihr gemeinsam im folgenden Semester besuchen könntet und bearbeitet eure Studienprobleme und politischen Aktivitäten über längere Zeit gemeinsam.

Erklärungen

die Plenarsitzung, -en: die Sitzung, an der alle Mitglieder teilnehmen

sich ablösen: kann aus dem Kontext erschlossen werden

die Vollversammlung, -en: die Versammlung aller Studenten

die Angstschwelle abbauen: die Angst davor verringern, etwas Ungewohntes zu tun

das Ausquatschen: kann aus dem Kontext erschlossen werden

die Scheinanforderung: die Bedingung, die man erfüllen muß, um einen Seminarschein zu erhalten

## 2

Welches sind die wichtigsten Aussagen des Textes zu den beiden Hauptpunkten:

Verhalten in Plenarsitzungen und auf Vollversammlungen;
Verhalten in Arbeitsgruppen?

## 3

Der Autor fordert seine Leser an mehreren Stellen auf, etwas zu tun oder zu unterlassen.

> **Aufforderungen** können auf verschiedene Weise formuliert werden:
>
> ● durch einen Infinitiv: In der Arbeitsgruppe mitdiskutieren!
> ● durch einen Imperativ: Diskutier in der Arbeitsgruppe mit!
> ● durch einen Aussagesatz mit oder ohne Modalverb:
> – Aktiv: Du diskutierst jetzt mit! Du sollst jetzt mitdiskutieren!
> – Passiv: Jetzt wird diskutiert. / Jetzt muß diskutiert werden.

Übung

Sagen Sie, von welchen der genannten Möglichkeiten der Autor Gebrauch macht.

## 4

Sprechabsicht
„*Vielleicht* könnt ihr da vereinbaren, euch gegenseitig beim Gruppenbericht fürs Plenum abzulösen."
Was ist gemeint?

☐ Der Autor ist sich nicht ganz sicher, ob die Leser das wirklich können.

☐ Der Autor gibt einen vorsichtig formulierten Ratschlag.

> Redemittel für Empfehlungen und Ratschläge
> Es ist wichtig, daß . . .
> Ein guter Anfang ist es auch, . . .
> Sorg dafür, daß . . .
> (Teilt die Gruppe) lieber (auf)
> Dazu müßt ihr aber auch . . . und dürft nicht . . .
> (Schon in der ersten Sitzung) solltet ihr . . .
> Vielleicht könnt ihr . . .

Ratschläge und Empfehlungen kann man ganz unterschiedlich formulieren: sehr vorsichtig und zurückhaltend oder fast wie einen Befehl.
Ordnen Sie die oben aufgelisteten Redemittel aus dem Text von W. Wagner in die folgende Tabelle ein.

| Ratschlag | | |
|---|---|---|
| zurück-haltend | neutral | fast wie ein Befehl |
| | | |

## 5

Notieren Sie alle Ratschläge des Autors in Infinitivform.
Vergleichen Sie Ihre Notizen mit denen Ihres Nachbarn und ordnen Sie gemeinsam die Ratschläge nach Ihrer Wichtigkeit. Sie sollten zu einem gemeinsamen Ergebnis kommen, das vorgetragen, begründet und diskutiert wird.

# D. Pro und contra Gruppenarbeit

**1**

Sie waren in den vorangehenden Lektionen schon öfter zu Gruppen- bzw. Partnerarbeit aufgefordert.
Berichten Sie über Ihre Erfahrungen.

**2**

Bei einer Umfrage zum Thema *Gruppenarbeit im Sprachunterricht* gab es sehr unterschiedliche Aussagen. Wir drucken hier einige ab.

„In der Gruppe hab' ich nicht so viel Angst, etwas zu sagen. Ich rede viel mehr als im Frontalunterricht." (= Unterricht mit der Gesamtgruppe unter der Leitung des Lehrers)

„Gruppenunterricht, das ist reine Zeitverschwendung. Mit einem Lehrer kommt man doch viel schneller zum Ziel."

„Wozu gibt es den Muttersprachler als Lehrer? Er bildet richtige Sätze und hat eine fehlerfreie Aussprache. Bei Gruppenarbeit höre ich dauernd fehlerhaftes Deutsch."

„Ein Lehrer hat mehr Geduld mit mir als viele Gruppenmitglieder."

„Schlechte Erfahrungen gemacht. Da war so einer in der Gruppe, der riß das Wort viel mehr an sich, als das ein Lehrer tut. Dadurch hab' ich fast nichts gelernt."

„Dem Lehrer kann ich immer nur antworten – in der Gruppe lerne ich, Fragen zu stellen. Den Lehrer fragen vor den andern – dazu hab' ich keinen Mut."

„Wenn der Lehrer sagt: ‚falsch', akzeptiere ich sofort. In der Gruppe überlege ich mehr, verteidige meine Meinung, vielleicht habe ich sogar recht. Gruppenarbeit ist besser."

„Gruppenmitglieder verhalten sich oft sehr unsolidarisch gegenüber Schwächeren."

„Im Frontalunterricht schalte ich oft ab, denke an anderes, weil ich zu wenig drankomme. Bei Gruppenarbeit bin ich mehr gefordert und muß mich konzentrieren."

„Ein Lehrer weiß, wie und wann er korrigieren soll, was ein schwerer Fehler ist – und exakte Korrektur ist nun einmal notwendig für das Sprachenlernen."

„Im Frontalunterricht heißt es dauernd: ‚Bitte, sprechen Sie lauter, ich kann nicht verstehen.' Bei Gruppenarbeit kann ich normal sprechen."

**3**

Ordnen Sie diese Argumente in ein Pro-Contra-Schema ein.
Welche Argumente gehören zusammen?

Wo sind klare Widersprüche? Welche zusätzlichen Argumente können Sie nennen?

**4**

Sie haben nun Argumente für eine Diskussion über Gruppenarbeit. Organisieren Sie eine Diskussion zu diesem Thema. Überlegen Sie vorher:
– Wer/wieviele Teilnehmer wollen die Argumente und Gegenargumente vertreten?
– Wie sollen die Statements formuliert werden?
– In welcher Reihenfolge sollen die Argumente dargestellt werden?
– Welche Redemittel gibt es, um Absichten zum Ausdruck zu bringen?

Greifen Sie auf das zurück, was Sie in Lektion 7 B gelernt haben.

**5**

Diskutieren Sie nun über das Thema *Gruppenarbeit*.
Nehmen Sie diese Diskussion auf Cassette auf, und hören Sie die Aufnahme dann mehrmals, bevor Sie die folgenden Fragen beantworten.

> ### Diskussionsverlauf
>
> ● Welche Thesen sind in den Statements enthalten?
> ● Welche Argumente für die Verteidigung der Thesen werden angeführt?
> ● Wo wird widersprochen? Welche Argumente werden wirklich widerlegt?
> ● Zu welchem Ergebnis hat die Diskussion geführt?
> ● Welche Sprechabsichten der Diskutierenden können Sie erkennen?
> ● Welche Redemittel wurden gebraucht, um diese Sprechabsichten zu verdeutlichen?

▷ *AB S. 122*

## E. Erika Runge: Frauen

### Vorlaufphase

**1**

Machen Sie aus folgenden Wörtern (in Partnerarbeit) eine Geschichte. Alle Wörter sollen in Ihrer Geschichte vorkommen.

*Ehepaar, Medizinalassistent, Studentin, Kind, Schwierigkeiten, Studium, Haushalt, Babysitter, Streitigkeiten, Gleichberechtigung.*

**2**

Lesen Sie einige Ihrer Geschichten vor. Stimmen die Inhalte ungefähr überein oder liegen interessante Abweichungen vor?

### Hörverstehen

Erster Teil

**3**

Hören Sie den ersten Teil eines Interviews mit Christa G., 25 Jahre alt, Studentin der politischen Wissenschaft in Berlin, verheiratet mit einem Wissenschaftler (Medizin), ein Kind.

Erklärung

die Kinderkrippe, -n: Stätte, wo Kleinkinder tagsüber versorgt werden

Vergleichen Sie den Textinhalt mit Ihrer (Ihren) Geschichte(n).

**4**

Bilden Sie für das zweite Hören des Textes zwei Gruppen. Die erste Gruppe konzentriert sich stärker auf alle Angaben, die das Kind betreffen. Die zweite Gruppe achtet mehr auf die Ausführungen zum Thema „Studium".

**5**

Die beiden Gruppen sammeln dann die verstandenen Einzelheiten, versuchen, sie zu ordnen, und ein Sprecher trägt vor.

Zweiter Teil

**6**

Der zweite Teil des Interviews beginnt so:

„Da hat es sich natürlich ergeben, daß ich mir überlegt habe, wie ich das abändern kann. Ich habe verlangt, daß mein Mann mir in bestimmten Dingen behilflich ist, was ihm oft kaum möglich war, weil er zu der Zeit anfing, wissenschaftlich zu arbeiten, am Anfang ziemlich viel theoretisch aufarbeiten mußte, um sich reinzufinden. Und da hat es zwischen uns Differenzen gegeben um Kleinigkeiten."

Welche Argumente bringt die Frau vor?
Welche Gegenargumente des Mannes sind zu erwarten?

**7**

Hören Sie den (nicht leicht zu verstehenden) zweiten Teil des Interviews zweimal, u. U. auch dreimal.

Nach dem Hören sollen Sie – möglichst genau – folgende Fragen beantworten:

Wie verläuft die Argumentation zwischen Mann und Frau?

Welche abschließenden Überlegungen stellt die Frau an?

**8**

Interpretieren Sie die folgenden Schlüsselsätze:

„Das geht in der Theorie sehr schön, aber in der Praxis sehr schlecht, weil ihm dann andere seine Forschungsprojekte wegnehmen. Die Gesellschaft ist leider nicht so, daß alle ihr Leben wie wir zu regeln versuchen, sondern daß eigentlich nur wenige das so machen."

**9**

Nehmen Sie an, Sie wüßten um den Grundkonflikt dieses Ehepaares und würden um einen brieflichen Rat gebeten, wie man diese schwierige Situation bewältigen könne. Wie würden Sie diesen Brief formulieren?

**10**

Wie werden Probleme solcher Art in Ihrem Heimatland/in Ihrer näheren Umgebung gelöst?

**11**

Adverbien der Bekräftigung

**wirklich**

„Daß ich meine Haushalts- und Mutterpflichten mit Schwung erfüllt hätte, wäre *wirklich* übertrieben."

**natürlich** (= etwas, was normalerweise jeder versteht)

„...das hat mein Mann *natürlich* gemerkt."

**einfach** (= etwas, was man ohne langen Kommentar versteht/zugesteht)

„...daß ich *einfach* zuwenig Zeit hatte..."

Übung

Suchen Sie im Text weitere Beispiele für die Adverbien *wirklich, natürlich* und *einfach*.

▷ *AB S. 123*

# 10 | *Jugend in der Gesellschaft*

## A. Träumender Jüngling

Als ich nach der Unglücksnacht auf-
wachte, lag ich in voller Sonnenglut, auf
dem Gestein, das um mich herum so heiß
war, daß ich es kaum berühren konnte.
Die Sonne schien mir ins Gesicht. Ich
stand auf und humpelte weiter nach
oben, um zu erkunden, wo ich war. So
gelangte ich auf den höchsten Punkt, eine Felskuppe, von der aus ich einen großen Teil der Insel überblicken konnte.

Erklärungen

die Sonnenglut: die Sonnenwärme

das Gestein: Kollektivbildung zu Stein, der Fels

humpeln: hinken, (aufgrund einer Verletzung) un-
gleichmäßig gehen

die Felskuppe, -n: runde Erhebung aus Stein

Fragen zum Bild

Wo ist der junge Mann? Zu welcher Ta-
geszeit, in welcher Jahreszeit?
Warum ist er dort?
Was tut er? Träumt er, denkt er nach oder
sieht er jemanden außerhalb des Bildes
an?
Wenn Sie seine Gedanken lesen könnten:
Was denkt er?
Wenn dieses Bild auf einem Buchum-
schlag wäre: Wie könnte der Buchtitel
lauten?
Wenn dieses Bild auf einem Plakat wäre:
Wofür könnte man damit werben?

Fragen zum Text

Welche Situation wird beschrieben? Was
könnte der Situation unmittelbar voraus-
gegangen sein?

Übung zu Bild und Text

In welchem Zusammenhang könnten Bild
und Text mit dem Thema der Lektion „Jugend in der Gesellschaft" stehen?
Schreiben Sie eine Geschichte, in der Sie
Bild und Text kombinieren.

## B. Kritisch, forsch und selbstbewußt

### Vorlaufphase

**1**

Lesen Sie die folgenden Wörter und Wendungen.

schwanken zwischen Furcht und Hoffnung – kritisch – forsch – selbstbewußt – unabhängig – Freiräume – Arbeitslosigkeit – die Dinge gelassen nehmen – sich (nicht) mit den Eltern identifizieren – einer Partei beitreten – sich mit der Heimat verbunden fühlen – die Bindung an die Heimat verlieren – sich nach dem Wind drehen – Partner – außerirdische Phänomene

Welche Wörter oder Wendungen könnten zu einem Abschnitt Ihres bisherigen Lebens passen? Inwiefern? Sprechen Sie mit Ihrem Nachbarn darüber.

**2**

In welchen Bereichen könnte sich das Leben der Jugendlichen in den neuen Bundesländern seit dem Fall der Berliner Mauer und dem Beitritt der DDR zur Bundesrepublik verändert haben? Notieren Sie Meinungsäußerungen aus Ihrem Kurs.

### Leseverstehen

**3**

Lesen Sie die Überschriften und den ersten Absatz des folgenden Zeitungsartikels. Vergleichen Sie diese Informationen mit den Meinungen aus Ihrem Kurs.

**4**

Sie sollen den Artikel zunächst nur selegierend lesen.

> Selegierend lesen heißt, den Text auf bestimmte Informationen hin absuchen.

Bilden Sie Gruppen. Jede Gruppe sucht Informationen zu einem oder zwei der folgenden Aspekte: Äußerungen über die Einstellungen der Jugendlichen zu *Schule, Politik, Arbeitslosigkeit,* zur *ehemaligen DDR,* zu ihren *Eltern.*
Tragen Sie die Ergebnisse Ihrer Gruppenarbeit vor.

---

*Die Menschen in den ostdeutschen Bundesländern schwanken zwischen Furcht und Hoffnung.*

# Kritisch, forsch und selbstbewußt

**Die Jugendlichen im Osten nutzen die neuen Freiräume – im guten wie im schlechten** / Von Gisela Dachs

*Leipzig,* im Februar

Was hat sich seit Herbst 1989 verändert? „Alles", würden Erwachsene, das Große und Ganze im Blick, in der ehemaligen DDR sagen, „vom politischen System bis zur
Krankenversicherung." – „Gar nicht so viel", fand dagegen die Mehrheit von hundert ostdeutschen Realschülern. Im Auftrag des Leipziger Zentralinstituts für Jugendforschung (seit Januar Außen- 10

▷

stelle des Deutschen Jugendinstituts München) hatten die Jugendlichen zwischen dreizehn und siebzehn Jahren vor zwei Wochen Aufsätze zu diesem Thema verfaßt. Überraschend präzise zogen sie eine Bilanz ihrer persönlichen Erfahrungen.

„Ganz einfach", antwortete ein dreizehnjähriger Junge in krakeliger Schrift. Für ihn haben sich „die Schule und vor allen Dingen die Geschäfte" geändert. Schokolade, Getränke, Spielzeug seien billiger, Gas und Miete jedoch teurer geworden. In der Schule sei das Essen besser als früher. Zudem: „Vor der Vereinigung gab es noch nicht einmal richtiges Besteck. Alle Gabeln und Löffel waren verbogen. Das hat sich aber jetzt geändert. Zum Glück. Wir haben auch einen Kiosk dazu bekommen. Was davon halte? Ich finde das einfach Spitze; allerdings wird man jetzt nicht mehr mitgeschleift, wenn man versetzungsgefährdet ist." Angst habe er, so fügt der Sechstklässler hinzu, „daß meine Eltern oder ich selber später arbeitslos werden. Probleme habe ich keine, aber viele Hoffnungen". In ihrem Urteil über positive und negative Entwicklungen sind sich die Schüler weitgehend einig. Sie finden den Unterricht spannender, freuen sich übers Reisen, den eigenen HiFi-Turm oder Computer und den schulfreien Samstag. Die Auflösung der Pionierorganisation werten sie als Entlastung.

Besorgt äußern sich die Jugendlichen über wachsende Kriminalität, überquellende Müllcontainer, schnelle Autos, „für die unsere Straßen gar nicht geeignet sind". Am häufigsten taucht das Thema Arbeitslosigkeit auf. Eine 16jährige Schülerin schreibt als Betroffene: „Seit acht Jahren bin ich es gewohnt, aus der Schule zu kommen, und keiner ist zu Hause. Jetzt sitzen beide Eltern schlechtgelaunt in der Stube und machen Krach."

Ein Grundtenor zieht sich durch ihre Gespräche: Im Gegensatz zu der durch die katastrophale Wirtschaftslage stark verunsicherten älteren Generation nehmen die ostdeutschen Jugendlichen die

Dinge relativ gelassen. Dabei sind sie durchaus nicht unkritisch: „Kohl hat erreicht, was er wollte. Er ist in die Geschichte eingegangen. Für mich hat sich dadurch nichts geändert", kommentiert trocken ein dreizehnjähriger Schüler.

Dieser Trend zeichnete sich schon in Umfragen des Leipziger Jugendforschungsinstituts aus dem vergangenen Jahr ab. Die Jugendlichen sind optimistischer als der Durchschnitt der Bevölkerung, Mädchen allerdings weniger als Jungen. Sie sehen sich auch weniger von „der Ellbogengesellschaft, der Verteuerung der Lebenshaltungskosten oder dem wirtschaftlichen Niedergang der DDR" bedroht als die Älteren. Selbst unter den 18- bis 24jährigen Arbeitslosen sind nur knapp ein Drittel pessimistisch eingestellt; bei den 46- bis 55jährigen sind es rund 72 Prozent.

Im Augenblick jedoch scheinen die Jugendlichen positive Entwicklungen intensiver zu erleben als Erwachsene. Es sind nicht nur die geringeren materiellen Sorgen, die sie von ihren Eltern trennen. „Diese Generation hat kein Bedürfnis, sich mit den Eltern zu identifizieren", glaubt Brigitte Trimpert, die früher als psychotherapeutische Beraterin gearbeitet hat und seit Januar im Kabinett für Gesundheitsförderung mit Drogenaufklärung befaßt ist. „Die jungen Leute haben erfahren, daß das System, mit dem sich die Erwachsenen als Oppositionelle oder als Mitläufer arrangiert hatten, mit einem Handstreich wegzuwischen war."

Politisch festlegen wollen sich auch die interessierten Köpfe nicht. „Wenn ich erst einmal in eine Partei eingetreten bin, dann muß ich zu allem stehen und kann mich nicht distanzieren. Das Risiko will ich erst gar nicht eingehen", sagt Christian, achtzehn Jahre, der eine Industrietischlerlehre absolviert und zugleich sein Abitur machen will. Diese Form der Doppelausbildung wird es allerdings bald nicht mehr geben. Wie er dann seinen Schulabschluß finanzieren wird, weiß er noch nicht. Kritisch stellt er die Frage, wie man sich denn außerhalb von

▷

Parteien „politisch einbringen könnte".
Was denn zu tun sei, damit „nicht über
unsere Köpfe hinweg bestimmt wird"?
Wenn er höre, sagt Christians Freund
Enrico, „daß auch viele Leute im Westen
die Einheit gar nicht wollten, dann frage
ich mich: Warum haben die sich dann
nicht dagegen gewehrt?"

Schon vor dem Sturz des Honecker-
Regimes hatte sich abgezeichnet, daß die
junge DDR-Generation die Bindungen
zu ihrem Land immer mehr verlor. So
ergab eine Studie des Leipziger Jugendforschungsinstituts, der damals wenige
Beachtung schenkten, daß sich Ende
1988 nur noch 8 Prozent aller Lehrlinge
mit der DDR „stark verbunden" fühlten.
Im Jahre 1975 waren es noch 57 Prozent.
Vielleicht fällt es den Jugendlichen auch
deshalb leichter, sich von dem alten System zu lösen. „Die jungen Leute denken viel unabhängiger, selbstbewußter
als ihre Eltern", stellt Brigitte Trimpert
fest. Dieses Selbstbewußtsein fällt nicht
zuletzt im Umgang mit den Westdeutschen auf. Sie haben nicht – wie viele
Ältere – das kränkende Gefühl, auf der
falschen Seite der Mauer geboren zu
sein.

Was die Schüler im Unterricht ganz
locker sehen, bereitet manchen Eltern
Probleme: zum Beispiel der nahtlose
Übergang vom Staatsbürgerkunde- in
den Gesellschaftskundeunterricht. Meist
blieb dabei der gleiche Lehrer am Katheder. „Welche Wirkung hat das wohl auf
Heranwachsende, wenn die hautnah mit-
erleben, daß sich Bekenntnisse je nach
Windrichtung einfach so drehen lassen",
klagt eine Mutter zweier schulpflichtiger
Kinder. Wie, so fragt sie, können auf
diese Weise verantwortlich handelnde
Menschen ausgebildet werden? Ihrer
Ansicht nach hätte zumindest eine „gemeinsame Vergangenheitsbewältigung
mit Hilfe der alten Bücher stattfinden
sollen".

Die schulische Auseinandersetzung
mit der ehemaligen Staatsdoktrin würde
wohl auch zum Verständnis zwischen
den Generationen beitragen; sie könnte
den Jugendlichen helfen zu begreifen,
wie es möglich war, so lange in einem
Land zu leben, das sich über Nacht in
Luft aufgelöst hat.

Aber so sehr scheint sie diese Frage
nun auch wieder nicht zu beschäftigen.
Erstaunt erzählt Pfarrer Harald Wagner,
welche Themenbereiche sich die Konfir-
manden seiner Gemeinde ausgesucht
hatten, als er ihnen vorschlug, ein paar
Tage im Grünen auszuspannen. „Sie
wollten über Partnerschaft sprechen, an
erster Stelle wollten sie aber mehr über
außerirdische Phänomene erfahren."

*Aus: Die Zeit, 1. 3. 1991*

**5**

Enthält der Text Informationen, die Sie überraschen?

**6**

Arbeiten Sie den Text noch einmal genau durch, damit Sie die folgenden Aufgaben zum Wortschatz und zu den Textbezügen lösen können.

Z. 14 ... *Aufsätze zu diesem Thema* ...
Zu welchem Thema?

Z. 18 „*Ganz einfach*"
Was ist ganz einfach?

Z. 28 *Das hat sich jetzt aber geändert.*
Was hat sich geändert?

Z. 30/31 *Was ich davon halte?*
Wovon?

Z. 31 *Ich finde das einfach Spitze.*
Was findet er Spitze (= sehr gut)?

Z. 52 ... *als Betroffene* ...
Wovon ist die Schülerin betroffen und inwiefern?

Z. 63/64 *Dabei sind sie durchaus nicht unkritisch.*
Bedeutet dieser Satz:
☐ Bei dieser Sache sind sie nicht unkritisch.
☐ Obwohl sie nicht unkritisch sind.
☐ Weil sie nicht unkritisch sind:

Z. 69 *Dieser Trend* ...
Welcher Trend?

Z. 74/75 ... *Mädchen allerdings weniger als Jungen.*
Was sind Mädchen weniger als Jungen?

Z. 76 Was ist mit *Ellbogengesellschaft* gemeint?

Z. 104 ... *dann muß ich zu allem stehen* ...
Was ist damit gemeint?

Z. 114/115 ... *sich* ... *politisch einbringen* ...
Erschließen Sie die Bedeutung dieses Ausdrucks aus dem Kontext.

Z. 144/145 ... *ganz locker sehen* ...
Erschließen Sie auch diesen Ausdruck aus dem Kontext (Gegensatz).

Z. 148/149 *Meist blieb dabei der gleiche Lehrer am Katheder.*
Wobei?

Z. 150/151 *Welche Wirkung hat das wohl auf Heranwachsende,* ...
Worauf bezieht sich *das*?

Z. 170/171 ... *diese Frage* ...
Welche Frage?

## C. Jugend der neunziger Jahre

### Vorlaufphase

**1**

Kennen Sie Äußerungen von Erwachsenen über „die Jugend von heute"?

**2**

Nehmen Sie an, Sie sollten „die Jugend" genauer erforschen. Sie schicken an ca. 100 Jugendliche einen Fragebogen, den diese beantworten sollen.

Formulieren Sie Fragen, mit deren Hilfe Sie feststellen könnten, wie „die Jugend von heute" ist, was sie denkt und fühlt.

Arbeiten Sie in Gruppen. Vergleichen Sie Ihre Ergebnisse.

## Hörverstehen

Der Text, den Sie hören werden, hat folgende Gliederung:
1. Großes Interesse an der Jugend
2. Empirische Untersuchungsmethoden der Jugendforscher
3. Teilweise widersprüchliche Untersuchungsergebnisse
4. Gründe für widersprüchliche Untersuchungsergebnisse

**3**

Hören Sie den Text zunächst einmal und stellen Sie fest, mit welchen Worten ein neuer Punkt beginnt.

**4**

Hören Sie den Text ein zweites Mal.

Sammeln Sie zu den Punkten 2, 3 und 4 möglichst viele Informationen. Formulieren Sie diese in Sätzen.

Was sind nach Ihrer Meinung die wichtigsten Textinformationen?

**5**

Schreiben Sie nun einen Text auf der Basis folgender Schlüsselwörter:

Empirische Forschungen – Fragebögen – Tonbandinterviews – Ergebnisse: frühe Selbständigkeit – lange finanzielle Abhängigkeit – Konsumverhalten (z. B. Kleidung, Fahrzeuge, Medien) – kein Interesse an Arbeit, Beruf, Ehe, Familie – widersprüchliche Ergebnisse – Gründe: Verallgemeinerungen schwer möglich – unklare Definition von Jugend

**6**

Wie würden Sie Jugendliche Ihres Landes / deutsche Jugendliche beschreiben?

**7**

Sehen Sie eine Jugendsendung im Fernsehen an.

Interviewen Sie Jugendliche auf der Straße.

Geben die Informationen dieses Textes eine richtige Beschreibung der Jugend der 90er Jahre oder können Sie wichtige Abweichungen feststellen?

# Lektionen 11/12

## Themenbereich
## Ernährung und Lebensmittel

# 11 | *Was auf den Tisch kommt*

## A. Robert Wolfgang Schnell: Grüner Fisch

Robert Wolfgang Schnell
## GRÜNER FISCH
(für drei Personen)

*Zutaten zum Fisch:* Ein Schellfisch von ca. zwei Pfund, acht große, unzerschnittene Kohlrabiblätter, sechs bis acht frische kleine Schalotten, drei Lorbeerblätter, vier Teelöffel Butter, gemahlenen Pfeffer (schwarz und weiß gemischt), Salz, der Saft einer Zitrone.

*Zutaten zur Sauce:* Hundert Gramm Schinkenspeck, der Lauch der Schalotten, zwei Bund Schnittlauch, zwei Bund Petersilie, Dill in kleiner Menge, zwei Stangen frischen, grünen Knoblauch (wenn nicht vorhanden, eine halbe Zehe), zwei Teelöffel Butter, gemahlenen schwarzen Pfeffer.
Neue Kartoffeln.

Nicht jeder hat einen Apotheker zur Seite, der so gern kocht wie mein Freund Paul Höhle, mit dem ich kombinierte, daß der herbe Geschmack der Kohlrabiblätter der weichen Anonymität des Schellfisches gut tun würde. Da Kohlrabiblätter nur von Mitte Mai bis Ende Juni ihren Geschmack wirklich entfalten, ist der grüne Fisch ein Essen, das wir für den späten Frühling und frühen Sommer ausdachten. Das Essen ist leicht, ausgewogen und belastet den Körper nicht in dieser für den Organismus so komplizierten Zeit.

Wir nehmen acht große, saftig grüne Kohlrabiblätter mit den Rippen und sechs bis acht Schalotten, von denen wir den Lauch abschneiden. Beides wird mit kochendem Wasser überbrüht und ca. zehn Minuten stehengelassen.
In der Zeit säubern wir den Schellfisch (von ca. zwei Pfund Gewicht) unterm Wasserhahn und sehen zu, ob wir ihn auch wirklich makellos entschuppt haben. Wir legen eine flache Kasserolle mit breiter Silberfolie aus. Auf die Folie legen wir die abgebrühten Kohlrabiblätter mit dem Stiel zur Mitte hin. Die abgebrühten Schalotten drücken wir fest in den ausgenommenen Fisch, legen noch drei Lorbeerblätter dazu, etwas Salz und gemahlenen Pfeffer (schwarz und weiß gemischt). Wir schließen die Lappen des Fisches fest um die Einlagen und legen ihn, den Rücken nach oben (so wie er schwimmt) auf die Kohlrabiblätter in der Folie. Über den Fisch verteilen wir noch drei Teelöffel Butter, pfeffern ihn noch etwas von außen und packen ihn in die Kohlrabiblätter ein wie ein Baby in die Windeln. Als wir ihn zum erstenmal so daliegen sahen, bekam er den Namen ,Grüner Fisch'. Um diesen grünen Fisch schließen wir nun fest die Folie, damit der Saft nicht herauslaufen kann. Der Bratofen muß auf 250 Grad Hitze vorgeheizt sein, in die wir den Fisch hineinschieben und *mindestens* eine halbe Stunde dünsten lassen.
Währenddessen haben wir gut Zeit, die Sauce zu bereiten. Von hundert Gramm Schinkenspeck werfen wir die fetten Teile klein gewür-

▷

felt in einen heißen Topf, schneiden das Magere in längliche Streifen, geben es hinzu, löschen es aber schon vor dem Braunwerden mit heißem Wasser ab. Kocht es, geben wir zwei Teelöffel Butter hinzu. In der Zeit haben wir den Lauch der Schalotten, zwei Bund Schnittlauch, zwei Bund Petersilie, eine kleine Menge Dill und zwei Stangen frischen grünen Knoblauch (wenn nicht vorhanden, eine halbe Zehe) klein zerhackt und geben das in das kochende Wasser mit dem Schinkenspeck. Dazu noch etwas gemahlenen Pfeffer. Nur ganz große Salzfans sollten noch Salz dazunehmen, meist genügt das Salz des Schinkenspecks. Die Sauce lassen wir zehn Minuten, nicht zu heftig, kochen.

Ist der Fisch gar, öffnen wir die Folie, heben die Kohlrabiblätter vorsichtig ab, damit sie wieder auf der Folie liegen wie vorher. Einen appetitlicheren Anblick als den Schellfisch auf den grünen Blättern kann man sich kaum denken. Den Fisch beträufeln wir noch mit dem Saft einer Zitrone.
Dazu geben wir neue Kartoffeln, die wir in der Schale gedämpft haben.
Jeder bekommt seinen Anteil an den Kohlrabiblättern, die wir auf dem Teller mit der Sauce übergießen. Auf die Kartoffeln nimmt man einen Löffel Fischsud aus der Folie.
Für Bekömmlichkeit und Geschmack garantieren Paul Höhle und ich.

Erklärungen

die Schalotte, -n: kleine, eiförmige Zwiebel

der Lauch: aus einer Zwiebel entstehende Pflanze

der Schnittlauch, die Petersilie, der Dill: grüne Küchenkräuter

*Robert Wolfgang Schnell,* 1916–1986, war Schriftsteller, Schauspieler und Maler.

# 1

Schnell hat liebevoll und ausführlich beschrieben, wie er Grünen Fisch zubereitet. Stellen Sie sich vor, Sie müßten das Rezept für ein Kochbuch umschreiben, in dem nicht so viel Platz ist wie in dem kulinarischen Lesebuch, für das der Text geschrieben wurde. Beginnen Sie so:

„Den Lauch von 6–8 Schalotten abschneiden. Den Lauch und 8 große, grüne Kohlrabiblätter mit kochendem Wasser überbrühen und ca. 10 Minuten stehenlassen."

Schreiben Sie das Rezept zu Ende und benutzen Sie dabei die Verben in der Infinitivform, wie es heute in Kochbüchern üblich ist.

▷ *AB S. 142, 143*

**2**
Das Passiv

- Das **Passiv** wird benutzt, wenn das Interesse auf einen **Vorgang** oder **Zustand** gerichtet ist. Die handelnde Person, der Urheber, die Ursache brauchen nicht genannt zu werden. Beispiel: „Wir nehmen acht Kohlrabiblätter und sechs bis acht Schalotten. Beides *wird* mit kochendem Wasser *überbrüht* und ca. zehn Minuten *stehengelassen*.“

  Man könnte auch sagen: „Beides wird *von uns* überbrüht“, aber das versteht sich von selbst und ist deshalb nicht interessant.
- Man unterscheidet ein **werden-Passiv** und ein **sein-Passiv**. Das **werden-Passiv** bezeichnet einen **Vorgang**, das **sein-Passiv** drückt einen **Zustand** aus. Dieser ist oft das Resultat einer Handlung bzw. eines Vorgangs:

  Man heizte den Bratofen vor. (Handlung)
  Der Bratofen wurde vorgeheizt. (Vorgang/Prozeß)
  Der Bratofen ist vorgeheizt. (Zustand)

Übung I

Drücken Sie die Handlung als Vorgang/Prozeß aus (mit dem *werden*-Passiv).
1. Wir legen eine flache Kasserolle mit breiter Silberfolie aus.
2. Auf die Folie legen wir die abgebrühten Kohlrabiblätter.
3. Die abgebrühten Schalotten drücken wir fest in den ausgenommenen Fisch.
4. Wir legen noch drei Lorbeerblätter dazu.
5. Wir schließen die Lappen des Fisches fest um die Einlagen.

6. Über den Fisch verteilen wir noch drei Teelöffel Butter.

Übung II

Wie drückt man das Resultat der Handlung aus?
Verändern Sie bitte den kursiv gesetzten Teil des Satzes.

1. Wir sehen zu, *ob wir den Schellfisch auch wirklich makellos entschuppt haben.*
2. *Wir haben den Lauch der Schalotten und zwei Bund Schnittlauch kleingehackt.*
3. Zu dem Fisch geben wir neue Kartoffeln, *die wir in der Schale gedämpft haben.*
4. Jeder bekommt Kohlrabiblätter, *die wir mit der Sauce übergießen.*

Übung III

Können Sie das Resultat der Handlungen auch bei einigen Sätzen von Übung I ausdrücken?

▷ *RG §§ 85–97*

Zwei Freunde, Ruben und Nuchim, haben im Restaurant zusammen einen Fisch bestellt. Nuchim teilt den Fisch und nimmt sich selbst das größere Stück. „Pfui“, sagt Ruben, „wenn ich zwei so ungleiche Teile gemacht hätte, dann hätte ich mir wenigstens das kleinere Stück genommen.“ „Nun also, was willst du“, meint Nuchim achzelzuckend, „du hast doch das kleinere!“

mein Gott, ich habe mein Fleisch völlig vergessen. Du, kümmere dich mal um den Gast, ich habe keine Zeit!« Mit diesen Worten ist Frau Herz in der Küche verschwunden.

»Ja, Herr Wu, was darf ich Ihnen zum Trinken anbieten?«

»Nein, danke.«

Das Essen ist köstlich. Gulasch mit Nudeln – eines meiner Lieblingsessen. Ich esse ganz gemütlich und möchte den guten Geschmack länger im Mund behalten. Aber trotzdem geht mein Gulasch rasch weg. Nach einer Weile fragt die Gastgeberin: »Wer möchte noch etwas? Wie ist es mit Ihnen, Herr Wu? Möchten Sie noch etwas?«

»Oh, nein, danke.« Es gehört sich bei uns zu Hause nicht, schon auf die erste Aufforderung zuzugreifen.

»Schade, ich dachte, es schmeckt Ihnen.«

»Ja, aber ich . . .«

Anschließend kommt der Nachtisch – Erdbeeren mit Sahne. Hier in Deutschland schmecken die Erdbeeren viel besser als bei uns. Unsere Erdbeeren sind winzig und dazu noch sauer. Ich habe nur so viel genommen, wie es die Sitte bei uns erlaubt, und genieße den Duft und die Süße der Früchte. Ich werfe verstohlen einen Blick in die Erdbeeren-Schüssel.

»Darf ich Ihnen noch etwas geben?« fordert diesmal Herr Herz auf. »Ach . . . nein, danke.« Lieber warte ich auf die zweite Aufforderung.

»Schade. Sie essen das wohl nicht sehr gern, oder?«

»Wie schade, daß Sie so wenig von all dem essen!« schließt sich Frau Herz ihrem Mann an. Im Nu ist die Schüssel leer.

Als wir auf dem Sofa sitzen, fragt die Gastgeberin: »Wollen Sie Kaffee?«

»Nein, danke.«

Halb hungrig, halb durstig habe ich mich nach Hause geschleppt. Aber ich bin doch froh, daß ich nichts Unhöfliches getan habe.

**1**

Welche Klischeevorstellungen von den Deutschen muß der Autor in diesem Text berichtigen?

**2**

Wie unterscheiden sich die chinesischen von den deutschen Tischsitten?

**3**

Wie unterscheiden sich die Tischsitten in Ihrem Land von denen in Deutschland?

**4**

Waren Sie schon einmal bei Deutschen zum Essen eingeladen? Wenn ja, was haben Sie da erlebt?

**5**

Schreiben Sie eine Geschichte über den unglücklichen Spaghettiesser.

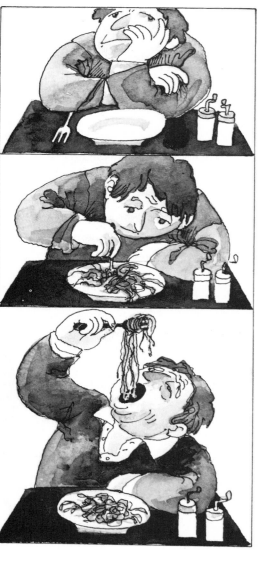

# Hungern

Herr K. hatte anläßlich einer Frage nach dem Vaterland die Antwort gegeben: »Ich kann überall hungern.« Nun fragte ihn ein genauer Hörer, woher es komme, daß er sage, er hungere, während er doch in Wirklichkeit zu essen habe. Herr K. rechtfertigte sich, indem er sagte: »Wahrscheinlich wollte ich sagen, ich kann überall leben, wenn ich leben will, wo Hunger herrscht. Ich gebe zu, daß es ein großer Unterschied ist, ob ich selber hungere oder ob ich lebe, wo Hunger herrscht. Aber zu meiner Entschuldigung darf ich wohl anführen, daß für mich leben, wo Hunger herrscht, wenn nicht ebenso schlimm wie hungern, so doch wenigstens sehr schlimm ist. Es wäre ja für andere nicht wichtig, wenn ich Hunger hätte, aber es ist wichtig, daß ich dagegen bin, daß Hunger herrscht.«

Ist der Text beschreibend oder argumentativ?

Was meint Herr K. mit *Ich kann überall hungern?* Daß es kein Vaterland gibt, weil überall Hunger herrscht, und Vaterland nur dort sein kann, wo es keinen Hunger gibt?

Ist der Ausdruck *ein genauer Hörer* ernst oder ironisch gemeint?

Warum sagt Herr K. *Wahrscheinlich wollte ich sagen...?* Weiß er nicht genau, was er sagen wollte?

Warum entschuldigt er sich? Weil er sich unklar ausgedrückt hat? Oder hat er ein schlechtes Gewissen, weil er nicht hungert, während andere Hunger leiden?

Interpretieren Sie den letzten Satz. Wird hier indirekt zur Änderung der bestehenden Verhältnisse aufgerufen? Sehen Sie hier eine Parallele zum Text *Fröhlich vom Fleisch...?*

# D. Die Welt-Ernährungssituation

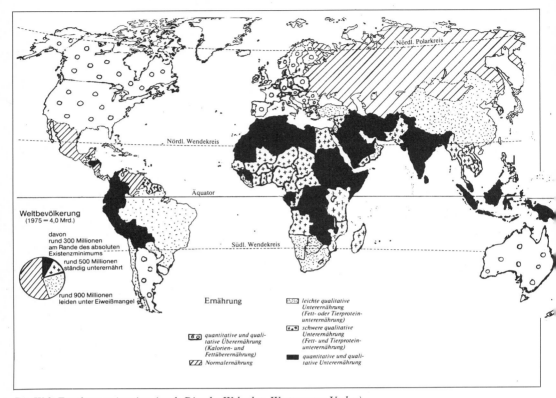

*Die Welt-Ernährungssituation (nach Diercke Weltatlas, Westermann Verlag)*

**1**

Was wird auf der Karte dargestellt? Klären Sie die Zeichen (z. B. die Schraffur).

**2**

Welche Informationen können Sie dem Kreis (links unten) entnehmen?

**3**

Stellen Sie sich (vielleicht in Gruppenarbeit) gegenseitig Fragen zur Karte und beantworten Sie diese. Beispiel: In welchen Ländern sind die Menschen qualitativ und quantitativ überernährt? . . .

**4**

In welchen Zonen liegen die Länder, in denen quantitative und qualitative Unterernährung herrscht? Was wissen Sie über die Ursachen dieser Unterernährung?

**5**

Welcher Quelle ist diese Karte entnommen? Haben Sie andere oder neuere Informationen?

**6**

Berichten Sie über die Ernährungssituation in Ihren Ländern. Decken sich Ihre Erfahrungen mit den Angaben der Karte?

# E. Wanda Krauth: Ökologischer Landbau und Welthunger

## Vorlaufphase

**1**

Was versteht man unter Ökologie? Warum wird dieses Wort heutzutage so oft benutzt?

**2**

Lesen Sie Titel und Untertitel des Textausschnitts.

Was erwarten Sie von diesem Text? Welche Möglichkeiten nationaler Selbstversorgung wird die Autorin aufzeigen und welche Mittel zur Bekämpfung des Hungers empfehlen?

## Leseverstehen

**3**

Lesen Sie den Text kursorisch. Achten Sie auf die Hauptinformationen.

---

# Ökologischer Landbau und Welthunger

### Möglichkeiten nationaler Selbstversorgung und Bekämpfung des Hungers

VON WANDA KRAUTH

In der Diskussion über Alternativen zur modernen Landwirtschaft wird das Welthungerproblem als ein Hauptargument gegen den ökologischen Landbau angeführt: „Nur mit moderner Landwirtschaft und mit ihren naturwissenschaftlichen Hilfsmitteln und Instrumenten ... hat die entwickelte Gesellschaft eine Zukunft! – und die vielen Entwicklungsländer haben nur so die Chance, irgendwann auch einmal einen bescheidenen »Platz an der Sonne zu bekommen« (Zitat der BASF).

Im folgenden wollen wir versuchen, die Hintergründe des Hungers in vielen Teilen der Welt zu durchleuchten und die Frage zu klären, was die chemieintensive Landwirtschaft zur Ernährung der Menschen in den Entwicklungsländern beiträgt und ob der technische Fortschritt mit seinem weltweiten Einsatz von Düngemitteln und Pestiziden geeignet ist, den Hunger zu besiegen.

### Unzureichende Nahrungsmittelproduktion?

Fast eine halbe Milliarde Menschen in den Entwicklungsländern leiden Hunger. Täg-

lich sterben 10 000 bis 15 000 Menschen an den Folgen von Unterernährung. Millionen Kinder sind blind durch Vitamin A-Mangel oder geistig behindert durch proteinarme Nahrung oder leiden an anderen Mangelerscheinungen.

Täglich werden auf der Erde etwa 2 Pfund Getreide pro Mann, Frau und Kind produziert. Diese Menge könnte jedem Menschen, ohne die Produktion gewaltiger Mengen Fleisch, Fisch, Gemüse und Obst dazuzurechnen, täglich 3000 Kilokalorien zuführen.

Schon hier wird deutlich, daß das Hungerproblem nicht primär an der Erzeugung einer ausreichenden Menge an Nahrungsmitteln scheitert, sondern daran, daß die erzeugten Nahrungsmittel ungleich verteilt werden. Mais, Gerste und Hafer (Proteingehalt im Durchschnitt 8 bis 14% und Sojabohnen (durchschnittlicher Proteingehalt 35 bis 40%) werden allein in den Vereinigten Staaten zu 90% an Nutztiere verfüttert. Die Menge des verfütterten Getreideproteins entspricht dabei fast dem Proteinmangel auf der ganzen Welt. (Dabei ist das durchschnittliche Umwandlungsverhältnis ca. 7:1, also 7 Pfund Getreide/Sojabohnen ergeben 1 Pfund Fleisch.)

Die Perversion der Welternährungslage wird noch deutlicher, wenn wir die Speisekarte unserer Milchkühe, Masttiere, Legehennen und veredelten Landschweine betrachten: Soja aus Brasilien, Maniok aus

▷

Südost-Asien, Erdnüsse aus dem Sahel-Gebiet und vieles mehr. Diese Exporte werden gekrönt von direkten Fleischexporten aus Hungerländern in die Vereinigten Staaten und Europa. (...) Aus verschiedenen südamerikanischen Fischfanggebieten führten General Foods und Quaker Oats Fischmehl in die USA aus. Anstatt mit den Fischen als hochwertigem eiweißhaltigem Nahrungsmittel die südamerikanische Bevölkerung zu ernähren, gelangen sie als Tierfutter in Hühner-, Katzen- und Hundemägen.

Es werden schon heute genügend Nahrungsmittel produziert. Die Frage ist, wer sie besitzt und wie sie verteilt werden. Wir sind der Meinung, daß jedes Land der Welt die Ressourcen besitzt, die es braucht, um sein Volk vom Hunger zu befreien.
Jeder Mensch wird mit einem hungrigen Mund geboren, hat aber auch zwei Hände, mit denen er für seine Ernährung sorgen kann, wenn man ihn nicht daran hindert.

Erklärung

BASF: **B**adische **A**nilin- und **S**oda-**F**abrik AG mit Sitz in Ludwigshafen am Rhein, führendes Unternehmen der chemischen Industrie mit einem Produktionsprogramm von 5000 verschiedenen Erzeugnissen (u. a. Dünge- und Pflanzenschutzmittel)
die Perversion, -en: die Widernatürlichkeit, die krankhafte Abweichung vom Normalen
die EG: die **E**uropäische **G**emeinschaft
die Ressourcen (pl.): Hilfsmittel, Hilfsquelle, Reserve, Geldmittel

# 4
Suchen Sie aus den folgenden sechs Sätzen die drei Hauptthesen des Textes heraus.
– Die Tiere in den reichen Ländern leben besser als die Menschen in den armen Ländern.
– Die Nahrungsmittel sind ungleich verteilt.
– Die chemische Industrie behauptet, daß die Menschheit nur mit ihrer Hilfe überleben kann.
– Wir sollten mehr pflanzliches und weniger tierisches Protein verbrauchen.
– Der Hunger in der Welt hat bereits katastrophale Ausmaße angenommen.
– Auf der Erde werden genügend Nahrungsmittel produziert, um jeden Menschen ausreichend zu ernähren.

Bringen Sie die Thesen in eine logische Reihenfolge. Vergleichen Sie Ihr Ergebnis mit dem Ihres Nachbarn und sprechen Sie über die Gründe für Ihre Auswahl.

# 5
Textzusammenhang (Textkonnexion)

Im allgemeinen ist es wichtig zu erkennen, welche Textteile zusammengehören und welche Funktion die einzelnen Textteile haben.

Übung

Suchen Sie im zweiten Absatz Beispiele für „naturwissenschaftliche Hilfsmittel".
Unterstreichen Sie die Beispiele für die Folgen des Hungers in Entwicklungsländern im dritten Absatz.
Unterstreichen Sie die Beispiele für die ungleiche Verteilung von Nahrungsmitteln im fünften und sechsten Absatz.
Welche Funktion haben die beiden letzten Absätze?

# 6
Werden in Ihrem Heimatland viele chemische Düngemittel und Pestizide eingesetzt? Werden in der Landwirtschaft auch ökologische Gesichtspunkte berücksichtigt?

▷ AB S. 158

# F. Die Ursachen des Hungers in den Ländern der Dritten Welt

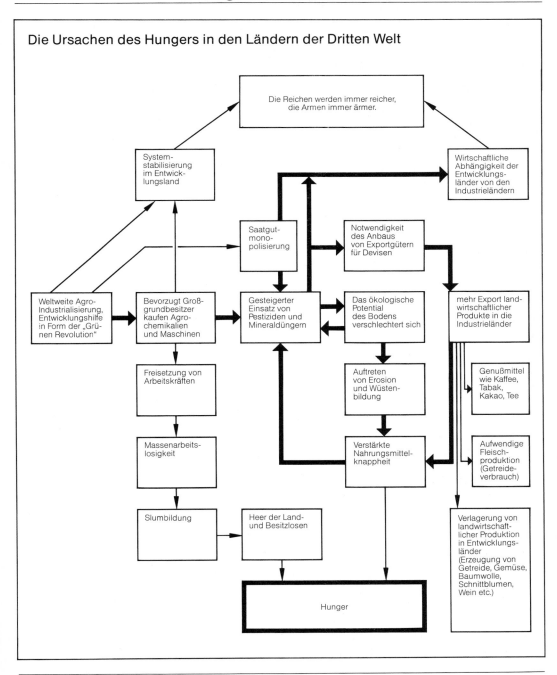

Die Ursachen des Hungers in den Ländern der Dritten Welt

**1**

Klären Sie zunächst den Wortschatz des Diagramms. Sie können die Bedeutung der Wörter leichter herausfinden, wenn Sie den Inhalt der Kästchen aufeinander beziehen.

Wenn Sie z. B. mit dem Kästchen links in der Mitte beginnen, können Sie aus den beiden Kästchen, die sich in gerader Linie rechts davon befinden, erschließen, was mit *Agro-Industrialisierung* und *Grüner Revolution* gemeint ist.

**2**

Versuchen Sie nun, mit einem Partner oder in einer kleinen Gruppe einen Teil des Diagramms zu erklären. Beginnen Sie links in der Mitte und folgen Sie nur einem Pfeil, z. B. dem Pfeil nach unten zu *Hunger*.

Betrachten Sie danach den mittleren Teil. Wenden Sie sich dem oberen Teil erst zum Schluß zu.

Benutzen Sie folgende Redemittel, um die Beziehungen zwischen den Inhalten der einzelnen Kästchen darzustellen:

| A → B |
|---|
| A ist die Ursache von     B.<br>A verursacht     B.<br>A führt zu     B.<br>A erzeugt     B.<br>A hat     B zur Folge. |
| B ist die Folge von     A.<br>B kommt von     A.<br>B entsteht durch     A.<br>B ergibt sich aus     A.<br>B ist auf     A zurückzuführen. |
| A wirkt sich positiv/negativ auf B aus.<br>A verstärkt     B.<br>A vergrößert     B.<br>A beeinflußt     B positiv/negativ. |

**3**

Lesen Sie den Inhalt des Diagramms nochmals durch. Formen Sie u. U. einige nominale Wendungen in Sätze um.

**4**

Versuchen Sie in Gruppen, den Inhalt des Diagramms schriftlich festzuhalten.

# G. Kurzreferat: Überernährung – Unterernährung

**1**

Sie sollen in Gruppenarbeit ein Kurzreferat über das Thema *Überernährung – Unterernährung* schreiben.

Sehen Sie sich als erstes noch einmal die Texte der Lektion 12 durch. Sammeln Sie alle Informationen, die für das Thema relevant erscheinen, und notieren Sie sie in Stichworten.

Ordnen Sie die Stichworte nach möglichen Unterthemen.

Erarbeiten Sie eine Gliederung, die aus Einleitung, Hauptteil und Schluß bestehen sollte.

Vergleichen Sie Ihr Ergebnis mit denen der anderen Gruppen. Welche Gliederung erscheint Ihnen am gelungensten und warum?

Vergleichen Sie nun im Plenum die ausgewählte Gliederung mit der nachstehenden. Erstellen Sie eine, nach der Sie Ihr Referat schreiben wollen.

**2**

Gliederung zum Kurzreferat: Überernährung – Unterernährung

A. *Einleitung*
Biologische Aspekte der Überernährung und der Unterernährung

B. *Hauptteil*
Ursachen der Über- und Unterernährung

1. Landwirtschaftliche Produktionsweisen
   a) Nutzung der Ackerflächen
   b) Klimatische Bedingungen
2. Ursachen des Überflusses an Agrarprodukten in den Industrieländern
   a) Überproduktion von Agrarprodukten in den Industrieländern
   b) Einfuhr von Nahrungs- und Genußmitteln aus Ländern der Dritten Welt
3. Ursachen des Mangels an Agrarprodukten in den Ländern der Dritten Welt
   a) Monokulturen
   b) Zwang zum Export

C. *Schluß*
Vorschläge zur Beseitigung der Unterernährung in der Dritten Welt

**3**
Abfassung eines Referats

Beachten Sie beim Schreiben eines Referats folgende Gesichtspunkte.
- Sinnvolle Anordnung der Informationen
- Logischer Zusammenhang
- Beim Thema bleiben: Der rote Faden muß deutlich werden.
- Kurze Sätze bilden, damit die Zuhörer dem Vortrag gut folgen können.
- Überlegung, ob sich Informationen visuell darstellen lassen (Tafel, Arbeitsprojektor, Pinnwand).
- Das Wichtigste am Ende eines Abschnitts zusammenfassen.
- Informationen möglichst durch Beispiele illustrieren.

**4**
Vortrag eines Referats

- Lassen Sie sich das Referat vom Lehrer korrigieren.
- Unterstreichen Sie die wichtigsten Punkte und üben Sie den Vortrag ein paarmal zu Hause.
- Beim Vortrag sollten Sie nicht ablesen. Sie dürfen aber gelegentlich in Ihr Konzept schauen. Wenn Sie nur Stichpunkte auf Ihrem Konzept haben, wird Ihr Vortrag lebendiger, weil Sie freier sprechen müssen. Diese Technik ist aber schwieriger.

# Lektionen 13 – 15

## Themenbereich
### Berufe und Arbeitswelt

# 13 | *Berufsausbildung*

## A. Ausbeutung und Schutz

### Vorlaufphase

**1**

Im traditionellen deutschen Handwerk unterscheidet man drei Ausbildungsstufen: Lehrling (heute: Auszubildender oder „Azubi"), Geselle oder Gehilfe und Meister. Ein Lehrling geht bei einem Meister meist drei Jahre in die Lehre, d. h. er wird von dem Meister und in der Berufsschule in einem bestimmten Beruf ausgebildet. Danach legt er die Gesellenprüfung ab. Wenn sich der Geselle fortbildet, kaufmännische Kenntnisse erwirbt und ein Meisterstück anfertigt, kann er die Meisterprüfung ablegen. Als Meister kann er sich selbständig machen und gewöhnlich auch Lehrlinge ausbilden.

**2**

Mit welchen Schwierigkeiten hatte das Handwerk im 19. Jahrhundert zu kämpfen? Warum mußten auch Kinder und Jugendliche oft schon schwer arbeiten?

### Leseverstehen

*Text 1*

Karl Friedrich von Klöden

## Aus: „Jugenderinnerungen"

Gearbeitet wurde im Sommer von des Morgens 6 Uhr bis abends um 7 Uhr, im Winter von des Morgens um 7 bis abends 8 Uhr, also 13 Stunden ohne Unterbrechung. Des Morgens erhielt ich zwei Tassen Kaffee, mittags um 12 Uhr wurde ein Gericht, meistens mit etwas Fleisch, genossen; doch öfter mußte ich mir, um satt zu werden, noch ein Stück Brot erbitten, das mir sehr unwillig und meist mit spitzen Bemerkungen über meinen guten Appetit gereicht wurde. Um 4 Uhr durfte ich mir zur Vesper ein Stück Brot abschneiden und Salz darauf streuen. Um 8 Uhr wurde zu Abend gegessen, zwei »Stullen« (Schwarzbrot) mit wenig Butter oder »Pellkartoffeln« mit einer Probe von Butter und Salz. Nur beim Mittag- und Abendbrot saß ich am Tisch, doch nicht früher, als bis das Essen darauf stand, und sobald der letzte Bissen genommen war, ging es wieder an den Werktisch. Frühstück und Vesper wurde an dem Werktische verzehrt, ohne die Arbeit zu unterbrechen. War viel zu tun, so wurde in die Nacht hinein, nicht selten auch des Sonntags gearbeitet.

**3**

Um was für einen Text handelt es sich?

**4**

Woran erkennt man, daß es ein Text aus dem 19. Jahrhundert ist? Nennen Sie sprachliche und inhaltliche Gründe.

**5**

Wo müssen Kinder und Jugendliche auch heute noch schwer arbeiten?

*Text 2*

Vor Ausbeutung wie im 19. Jahrhundert sollen die Auszubildenden in der Bundesrepublik Deutschland durch das „Gesetz zum Schutze der arbeitenden Jugend" („Jugendarbeitsschutzgesetz") bewahrt werden.
Lesen Sie einige Auszüge aus diesem Gesetz. Es handelt sich um die Fassung vom 21. September 1984.

**§ 8 Dauer der Arbeitszeit**
(1) Jugendliche dürfen nicht mehr als acht Stunden täglich und nicht mehr als 40 Stunden wöchentlich beschäftigt werden. [...]

**§ 9 Berufsschule**
(1) Der Arbeitgeber hat den Jugendlichen für die Teilnahme am Berufsschulunterricht freizustellen. [...]

**§ 11 Ruhepausen, Aufenthaltsräume**
(1) Jugendlichen müssen im voraus feststehende Ruhepausen von angemessener Dauer gewährt werden. Die Ruhepausen müssen mindestens betragen
1. 30 Minuten bei einer Arbeitszeit von mehr als viereinhalb bis zu sechs Stunden.
2. 60 Minuten bei einer Arbeitszeit von mehr als sechs Stunden. Als Ruhepause gilt nur eine Arbeitsunterbrechung von mindestens 15 Minuten.
(2) Die Ruhepausen müssen in angemessener zeit-

licher Lage gewährt werden, frühestens eine Stunde nach Beginn und spätestens eine Stunde vor Ende der Arbeitszeit. Länger als viereinhalb Stunden hintereinander dürfen Jugendliche nicht ohne Ruhepause beschäftigt werden.
(3) Der Aufenthalt während der Ruhepausen in Arbeitsräumen darf den Jugendlichen nur gestattet werden, wenn die Arbeit in diesen Räumen während dieser Zeit eingestellt ist und auch sonst die notwendige Erholung nicht beeinträchtigt wird.

**§ 14 Nachtruhe**
(1) Jugendliche dürfen nur in der Zeit von 6 bis 20 Uhr beschäftigt werden. [...]

**§ 16 Samstagsruhe**
(1) An Samstagen dürfen Jugendliche nicht beschäftigt werden. [...]

**§ 17 Sonntagsruhe**
(1) An Sonntagen dürfen Jugendliche nicht beschäftigt werden. [...]

**6**

Vergleichen Sie die beiden Texte (Jugenderinnerungen und Gesetzestext).
Welches Thema haben sie gemeinsam?
Welche Unterschiede bestehen zwischen den Verhältnissen damals und heute?
Schreiben Sie drei bis fünf Sätze. Benutzen Sie dabei die Ihnen bereits bekannten Redemittel für den Ausdruck des Gegensatzes (*während, aber, im Gegensatz dazu* etc.).

Beispiel: Während die Lehrlinge im 19. Jahrhundert noch bis zu 13 Stunden täglich arbeiten mußten, dürfen sie heute nur noch acht Stunden täglich beschäftigt werden.

Welcher Text spricht Sie mehr an – der autobiographische oder der Gesetzestext? Woran liegt das?

▷ *AB S. 164, 165*

**7**
Wortstellung

| Vorfeld | $V_1$ | Mittelfeld | $V_2$ |
|---|---|---|---|
| Das Frühstück<br>An dem Werktische | wurde | an dem Werktische<br>das Frühstück | verzehrt. |

Dies ist das Wortstellungsschema eines Aussagesatzes. Im Vorfeld, vor dem finiten Verb ($V_1$), stehen häufig Satzglieder, die besonders betont sind.

Aufgabe
Vergleichen Sie die Varianten links und rechts.

| Original: | Geänderte Fassung: |
|---|---|
| Des Morgens erhielt ich zwei Tassen Kaffee, mittags um 12 Uhr wurde ein Gericht genossen. | Ich erhielt des Morgens zwei Tassen Kaffee, ein Gericht wurde mittags um 12 Uhr genossen. |
| Um 4 Uhr durfte ich mir zur Vesper ein Stück Brot abschneiden. Um 8 Uhr wurde zu Abend gegessen. | Ich durfte mir um 4 Uhr zur Vesper ein Stück Brot abschneiden. Zu Abend wurde um 8 Uhr gegessen. |

Unterstreichen Sie im Original die Satzglieder des Vorfelds. Haben diese etwas Gemeinsames? Was ändert sich in der zweiten Fassung? Sehen Sie dann bitte alle Sätze in dem Text „Jugenderinnerungen" daraufhin durch, wie das Vorfeld besetzt ist. Man kann auch $V_2$, den infiniten Verbteil, auf das Vorfeld setzen: *Verzehrt wurde das Frühstück an dem Werktische.*
Dies geschieht auch in dem Text; an welcher Stelle?
▷ *RG § 308*

# B. „Lehrlingsausbildung"

Bilden Sie sechs Gruppen. Jede Gruppe bespricht, was auf einem der Bilder zu sehen ist. Dann wird das Bild von einem aus der Gruppe beschrieben. Versuchen Sie auch auszudrücken, was die Personen denken und fühlen.

Schreiben Sie nun die Geschichte möglichst anschaulich nieder. Erzählen Sie auch, was zwischen den Zeichnungen passiert. Geben Sie der Geschichte eine Fortsetzung und einen Schluß.
Bringen Sie die zeitliche Abfolge der einzelnen Bilder zum Ausdruck, z. B. durch:

eines Tages – kurz darauf – als – inzwischen – während – später – dann – danach – nach – da – schließlich

# Wilhelm Busch

Aus:
**Maler Klecksel**

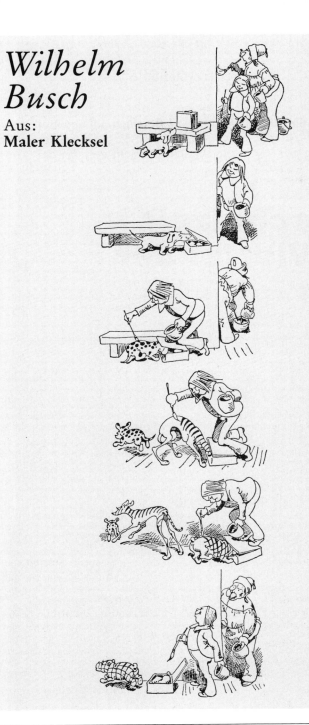

Malermeister Quast
der Lehrling Kuno Klecksel
der Dackel, –
der Kasten, ⸚
die Vesper, -n
streichen, strich, gestrichen + Akk.
schnuppern + an + Dat.

der Deckel, –
losmachen + Akk.

der Kopf, ⸚e
einklemmen + Akk.
der Tupfen, –
getupft ⟶
das Fell, -e
anmalen + Akk.
Wie sieht der Dackel jetzt aus?
die Farben mischen

der Windhund, -e
der Streifen, –
gestreift ⟶
Welchem Tier sieht der Windhund
jetzt ähnlich?

der Bulldog = die Bulldogge, -n
kariert ⟶

stolz sein + auf + Akk.

# C. Die Berufsschulzeit – wichtiges Viertel der Ausbildung

## Vorlaufphase

**1**

Gibt es in Ihrem Heimatland Berufsschulen?
Wenn ja, welche Aufgaben haben sie?

## Leseverstehen

**2**

Dieser Text erschien in der Beilage *Jugend und Beruf* der Süddeutschen Zeitung. Welche Absicht verfolgt der Autor?

# Die Berufsschulzeit – wichtiges Viertel der Ausbildung

Obwohl sie nur etwa 25 Prozent der Ausbildungzeit ausmacht, ist die Berufsschule für den Erfolg der Berufsausbildung im dualen System (= Betrieb + Berufsschule) besonders wichtig. Denn Berufsschulen vermitteln das theoretische Rüstzeug für den späteren Beruf. Sie unterrichten alle Fächer, die für den Theorie-Teil der Abschlußprüfung notwendig sind. Darum muß jeder Auszubildende sie bis zum Ende der Ausbildung besuchen.

Es gibt gewerblich-technische, kaufmännisch-verwaltende, hauswirtschaftlich-pflegerische, landwirtschaftliche und bergbauliche Berufsschulen. In Großstädten lohnt sich eine weitere Spezialisierung, z. B. für Metallgewerbe, Handel usw. An vielen Berufsschulen ist zudem das Berufsgrundbildungsjahr (BGJ) oder das Berufsvorbereitungsjahr (BVJ) jeweils mit einjährigem Vollzeitunterricht eingerichtet. Berufssonderschulen fördern in Spezialklassen die Lernbehinderten, weil sich diese im Theoretischen meistens schwer tun.

Berufsschulunterricht ist Teilzeitunterricht, der an 1–2 Tagen (ca. 8–13 Stunden) in der Woche stattfindet. Zunehmend gibt es „Block-Unterricht" (jährlich ca. 8–9 Wochen zusammenhängend) für solche Berufe, die nicht an jedem Ort oder überhaupt nur selten (Exotenberufe) ausgebildet werden. Das Einzugsgebiet solcher Berufsschulen kann landes- oder bundesweit sein. Sie haben dann ein angeschlossenes Internat.

Nach dem Jugendarbeitsschutzgesetz ist die Ausbildungsvergütung auch für die Unterrichtszeit zu zahlen; die Unterrichtsstunden müssen auf die Arbeitszeit angerechnet werden. Wenn die Berufsschule früher als 9 Uhr beginnt, dürfen die Auszubildenden nicht noch vorher in der Ausbildungsstätte arbeiten. An Berufsschultagen mit mindestens 5 Stunden Unterricht sind sie ganz von der Arbeit freizustellen.

Berufsschulpflichtig sind auch Jugendliche, die eine ungelernte Arbeit ausüben oder zu Hause bleiben. Ihre Berufsschulpflicht dauert meistens bis zur Vollendung des 18. Lebensjahres. Sie werden in besonderen Klassen (z. B. Jungarbeiterklassen) unterrichtet. Noch zu wenig bekannt bei Schulabbrechern: Wer die Berufsschule erfolgreich beendet, hat damit gleichzeitig den Hauptschulabschluß geschafft!

fh

**3**

Welche Arten von Berufsschulen werden genannt?

Für welche Berufe wird man dort theoretisch ausgebildet? Für

a) gewerblich-technische: Kraftfahrzeug-mechaniker, _____

b) _____

_____

c) _____

_____

d) _____

_____

e) _____

_____

**4**

Welche zusätzlichen Informationen zum „Jugendarbeitsschutzgesetz" enthält der Text?

**5**

Ordnen Sie die Leitgedanken den einzelnen Textabschnitten zu.

– Berufsschularten
– Bedeutung der Berufsschule
– Geltungsbereich der Berufsschulpflicht
– Zeitlicher Umfang des Berufsschulunterrichts
– Bestimmungen des Jugendarbeitsschutzgesetzes über die Berufsschule

**6**

Formen Sie einige Hauptinformationen des Textes in nominale Wendungen um. Vorschlag: die drei Hauptinformationen (Sätze zwei–vier) im ersten Absatz und die vier Hauptinformationen des vorletzten Absatzes.

▷ *AB S. 165, 166*

> Der Chef zu seinem kaufmännischen Lehrling: „Jetzt sind Sie zwei Jahre bei uns und haben viel gelernt. Und heute machen wir Pleite, damit Sie auch das lernen."

# D. Berufsausbildung: Bankkaufmann/Bankkauffrau (Interview)

## Vorlaufphase

**1**

Kennen Sie sich aus bei der Bank? Erklären Sie:

Girokonto
Banknote
Lastschrift
Bankvollmacht
Barabhebung
Dauerauftrag
Kreditkarte
Kontogebühr
Wertpapiere
Überweisung
Tagesauszug

**2**

Welche Geschäfte lassen Sie selbst durch die Bank erledigen? Beschreiben Sie!

**3**

Unter den Lieblingsberufen der Lehrlinge wurde 1986 der „Bankkaufmann" bei Jungen an erster Stelle, bei Mädchen die „Bankkauffrau" an vierter Stelle genannt. Auch im Jahre 1989 wurde dieser Berufswunsch häufig genannt.

Wie ist dies zu erklären?

# Hörverstehen

Sie hören jetzt ein Interview mit der Personalchefin einer großen Bank über die Ausbildung zum Bankkaufmann bzw. zur Bankkauffrau.

## 4

Ergänzen Sie bitte in der Dialogskizze die fehlenden Stichworte.

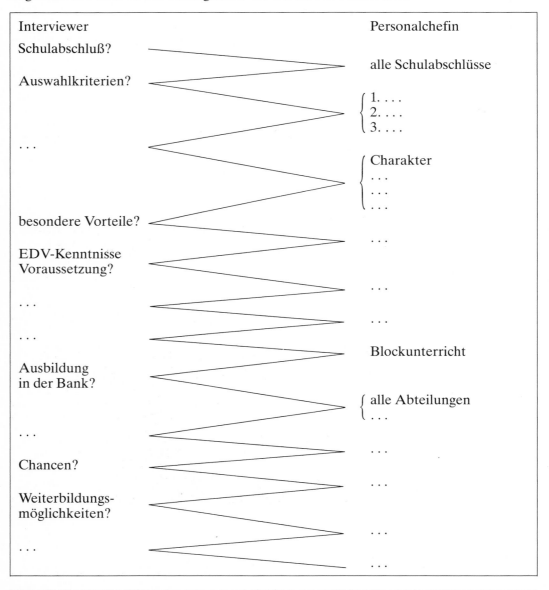

**5**
Vervollständigen und verbessern Sie Ihre Dialogskizze in Gruppenarbeit.
Spielen Sie dann dieses oder ein ähnliches Interview auf der Basis der Skizze.
Nehmen Sie Ihren gesprochenen Text auf Cassette auf.

**6**
Welche Charaktereigenschaften sind Ihrer Meinung nach bei der Auswahl von Bewerbern für eine Banklehre besonders erwünscht?
Diskutieren Sie darüber.
Überlegen Sie dann, ob Sie diese Eigenschaften auch bei Ihren Freunden und Partnern für wichtig/notwendig halten würden.

## E. Lehrstellenwünsche

**1**

Nennen Sie das Thema des Schaubildes, indem Sie von Titel und Untertitel ausgehen.

Geben Sie die wichtigsten Informationen der Statistik wieder. Formulieren Sie eine Zusammenfassung der Statistik. Sie können dazu diesen Lückentext benutzen:

_____ bei den _____, _____ bei den _____ – das sind die häufigsten Wünsche junger Leute, die eine _____ suchen. Während der _____ bei den _____ jedoch nur knapp vor dem _____ liegt, behauptet sich die _____ bei den _____ mit weitem Abstand an der Spitze der Berufswünsche. Die _____ interessieren sich vor allem für eine Ausbildung im Dienstleistungsbereich, die _____ hingegen setzen mehr auf eine gewerblich-technische Ausbildung.

**2**

Warum gehen die Berufswünsche von Jungen und Mädchen in diese Richtungen?

**3**

In der Bundesrepublik Deutschland gibt es etwa 450 anerkannte Ausbildungsberufe. Fällt Ihnen etwas auf, wenn Sie die Zahl der Ausbildungsberufe mit den Zahlen der Statistik vergleichen?

**4**

Berichten Sie über die Lehrstellen- und Berufswünsche von Jungen und Mädchen in Ihrer Heimat und nennen Sie die Gründe für diese Wünsche.

**5**

Wer arbeitet wo?
Ordnen Sie die folgenden Arbeitsstätten den in der Statistik aufgezählten Berufen zu. Bilden Sie dann kurze Sätze.

Lösung: Der Kfz-Mechaniker arbeitet in der Autoreparaturwerkstatt.

Oft sind mehrere Zuordnungen möglich.

im Frisiersalon – auf dem Bau – in einer Sparkasse – in der Tischlerei – im Büro – in einer Praxis – im Supermarkt – in der Bäckerei – in einer Kanzlei – im Warenhaus – in einer Bank – im Freien – in der Schlosserei – in Wohnungen – im Fachgeschäft – in einer Werkstätte – im Selbstbedienungsladen – in Industriebetrieben – in Handwerksbetrieben

**6**

Was muß man in den einzelnen Berufen tun?

Ordnen Sie folgende Tätigkeiten den in der Statistik genannten Berufen zu. Bilden Sie dann wieder kurze Sätze.

Beispiel: Autos reparieren → Kfz-Mechaniker
Lösung: Der Kfz-Mechaniker repariert Autos./Der Kfz-Mechaniker muß Autos reparieren.

Manchmal sind mehrere Zuordnungen möglich. (Vorschlag: Bilden Sie sechs Gruppen. Jede Gruppe übernimmt vier Berufe.)

feilen – stenographieren – schweißen – löten – backen – bohren – Maschine schreiben – schneiden – lackieren – Rohrleitungen legen – Bücher führen – Maschinen zusammenbauen – verputzen – Eisen- und Stahlkonstruktionen erstellen – verpacken – Büromaschinen bedienen – verkaufen – rasieren – Kunden beraten – den Betrieb organisieren und verwalten – Waren anbieten – die Löhne und Gehälter abrechnen – Kabel verlegen – hobeln – Haare färben – Kunden bedienen – bei ärztlichen Eingriffen assistieren – Preise kalkulieren – einfache Laboruntersuchungen durchführen – Rohstoffe einkaufen – Instrumente zureichen – Möbel anfertigen – Ersatzteile ein- und ausbauen – Gelder anlegen – Maschinen reparieren – die Patientenkartei führen – Werkzeuge fertigen – Instrumente desinfizieren – Kredite gewähren – Besucher empfangen – Devisen umtauschen – Verkäufer anleiten – Verträge entwerfen – Telefongespräche vermitteln.

Wenn möglich, ergänzen Sie die Tätigkeitsliste der Berufe, die Sie ausgewählt haben.

▷ *AB S. 166, 167*

# 14 | *Studenten auf Arbeitssuche*

## A. Arbeitsvermittlung für Studenten

### Vorlaufphase

**1**
Haben Sie schon einmal während des Studiums gearbeitet?
Wenn ja, berichten Sie kurz darüber; erwähnen Sie auch, wie Sie die Arbeit bekommen haben.

### Leseverstehen

**Vermittlungsvorgang:** Der Studenten-Servis bietet den Studierenden auf persönliche Vorsprache Arbeitsmöglichkeiten von mehrwöchiger Dauer (auch in den Semesterferien). Durch den Studenten-Schnelldienst werden kurzfristige Gelegenheitsarbeiten vermittelt. Es muß vom Studierenden erwartet werden, daß er die dem Arbeitgeber
5   gegenüber verbindlich angenommene Arbeit auch ausführt. Vermittelte Arbeit ist nicht übertragbar.

**Arbeitsbedingungen:** Keine besonderen Arbeitsverträge für Werkstudenten! Bei länger andauernden Arbeiten ist jedoch schriftlicher Abschluß eines Arbeitsvertrages zu empfehlen; er soll die Art des Arbeitsverhältnisses enthalten, dessen voraussichtliche
10  Dauer, Kündigungsfrist, Arbeitszeit, Art der Vergütung (Stunden- oder Wochenlohn), Bezahlung gesetzlicher Feiertage und gegebenenfalls Vereinbarung über Akkordarbeit. Grundlage für die Vergütung: der jeweilige Tarif, der für die Arbeit üblich ist. Es wird empfohlen, sich bei Arbeitsaufnahme die Betriebsordnung der Firma aushändigen zu lassen. Bei längerer Tätigkeit hat auch der Werkstudent u. U. Urlaubsanspruch.

15  **Steuerfragen:** Auch der Werkstudent ist lohnsteuerpflichtig und muß sich im Einwohnermeldeamt, Abt. Lohnsteuerstelle, Ruppertstraße, 8000 München 2, oder bei seiner zuständigen Heimatgemeinde eine Lohnsteuerkarte ausstellen lassen. Bei nicht ständiger Arbeit kann der Antrag auf Lohnsteuer-Jahresausgleich beim zuständigen Finanzamt gestellt werden. Rückzahlung der abgeführten Steuern im Rahmen des Lohnsteuer-
20  Jahresausgleichs ganz oder teilweise je nach Dauer der Tätigkeit bzw. Höhe der Gesamtentlohnung (s. auch Stichwort „Lohnsteuerjahresausgleich").

**Versicherung:** Von Sozialversicherungsbeiträgen ist jeder ordentlich eingeschriebene Studierende nur in Grenzen befreit (s. auch Stichwort „Sozialversicherungspflicht"). Die Hochschulkanzleien stellen auf Anforderung für Arbeitgeber Immatrikulationsbeschei
25  nigungen aus. Gegen Betriebsunfälle muß der Arbeitnehmer vom Arbeitgeber nach den Bestimmungen der RVO versichert werden.

Erklärungen

Abt.: Abteilung

RVO: Reichsversicherungsordnung

Sozialversicherung: dazu gehören die Arbeitslosenversicherung, die Rentenversicherung, die Krankenversicherung und die Unfallversicherung

## 2
### Wortschatz

Erklären Sie bitte folgende Ausdrücke durch Synonyme, Definitionen oder Umschreibungen:

(nicht) übertragbar – Akkordarbeit – Tarif – Betriebsordnung – Urlaubsanspruch – lohnsteuerpflichtig – Lohnsteuer-Jahresausgleich – Gesamtentlohnung

## 3

Suchen Sie aus dem Text alle Nominalkomposita heraus, in denen „Arbeit" als Grund- oder Bestimmungswort vorkommt, und lösen Sie sie nach den Ihnen bekannten Regeln auf.

## 4
### Zeitbegriffe

Im Text auf Seite 145 (Z. 2) wird von „Arbeitsmöglichkeiten von mehrwöchiger Dauer" gesprochen.

> Während -wöchig also die **Dauer** bezeichnet (Frage: Wie lange?), bezeichnet wöchentlich die **Frequenz** oder **Häufigkeit** (Frage: Wie oft?). Nach beiden Fragen stehen die Zeitangaben im Akkusativ.

Beispiel:
Wie oft erscheint die Zeitschrift? – Jeden Monat.
Wie lange dauert der Kurs? – Einen Monat.

Ergänzen Sie bitte das Schema:

| Substantiv | Adjektiv | |
|---|---|---|
| | Wie lange? | Wie oft? |
| die Minute | | |
| die Stunde | | |
| der Tag | | |
| die Woche | -wöchig | wöchentlich |
| der Monat | | |
| das Jahr | | |

Stellen Sie sich gegenseitig Fragen mit „Wie lange?" und „Wie oft?" und beantworten Sie sie.

## 5

*Zeit* oder *Dauer*?
In den folgenden Sätzen ist immer nur eines dieser Wörter richtig.

Das ist eine Arbeit von mehrwöchiger
_____.

Die Arbeits_____ ist von 8–12 Uhr und von 14–18 Uhr.

Der Arbeitsvertrag soll die voraussichtliche _____ des Arbeitsverhältnisses enthalten.

Die _____ des Medizinstudiums beträgt meistens sechs Jahre und mehr.

In der _____ vor der Prüfung müßte der Tag 25 Stunden haben.

Auf die _____ ist der Lärm nicht zu ertragen.

Arbeits_____ ist Lebens_____.

Ihr Interesse war nur von kurzer _____.

**6**

Im Studium hat man oft mit *Fristen* zu tun. Fristen *werden* einem *gesetzt,* man muß sie *einhalten,* sonst *laufen* sie *ab.*
Welche Komposita mit *-frist* kennen Sie?

| Der Zeitraum, in dem Sie | | |
|---|---|---|
| ein Referat/eine Diplomarbeit etc. abgeben müssen, | ist | _____frist |
| sich immatrikulieren können, | eine | _____frist. |
| sich (z. B. für eine Prüfung) anmelden können, | | _____frist. |

Aber auch wenn Sie beruflich arbeiten oder Kontakt mit Behörden haben, müssen Sie Fristen einhalten. Erklären Sie bitte *Kündigungsfrist* und *Einspruchsfrist.* Kennen Sie außerdem noch Fristen?

**7**

> Die **Präposition** *bei* kann manchmal durch eine Konjunktion ersetzt und die folgende Wortgruppe in einen Nebensatz umgewandelt werden.

Versuchen Sie, den kursiv gedruckten Teil der folgenden Sätze in Nebensätze umzuformen. Eine dieser zwei Konjunktionen ist in allen Sätzen richtig: *wenn* ▷ *RG §§ 371–372; während* ▷ *RG § 384.*
*Bei länger andauernden Arbeiten* ist der schriftliche Abschluß eines Arbeitsvertrages zu empfehlen.

Es wird empfohlen, sich *bei Arbeitsaufnahme* die Betriebsordnung der Firma aushändigen zu lassen.
*Bei längerer Tätigkeit* hat auch der Werkstudent u. U. einen Urlaubsanspruch.
*Bei nicht ständiger Arbeit* kann der Antrag auf Lohnsteuer-Jahresausgleich gestellt werden.

**8**
Rollenspiel

Sie wollen in den Semesterferien mehrere Wochen lang arbeiten und stellen sich bei einem potentiellen Arbeitgeber vor. Erkundigen Sie sich nach den im Text (Absatz 2) genannten Arbeitsbedingungen. Üben Sie das Gespräch zuerst mit einem Partner, bevor Sie es Ihrer Gruppe vorstellen.

▷ *AB S. 172, 173*

# B. Jobs für Studenten

### Vorlaufphase

**1**
Es gibt viele Argumente gegen studentische Arbeit. Nennen Sie einige.
Könnte man auch Argumente dafür anführen?

**2**

Soll ein Student arbeiten, wenn es nicht unbedingt notwendig ist?

**3**

Welche Bedeutung erkennen Sie in dem folgenden Satz:

„Die Stelle für studentische Arbeitsvermittlung untersteht der Dienstaufsicht des Arbeitsamtes."

**4**

Nennen Sie Synonyme zu *autark* und bilden Sie die davon abgeleiteten Substantive.

## Hörverstehen

**5**

Sie hören jetzt ein Interview mit einem Vertreter des Arbeitsamtes Bonn zweimal. Konzentrieren Sie sich beim ersten Hören auf die Fragen, die der Interviewer stellt. Notieren Sie deren Inhalt in Stichpunkten.

**6**

Rekonstruieren Sie jetzt – mit Hilfe des Lehrers – die Fragen. Vervollständigen Sie Ihre Notizen.

**7**

Konzentrieren Sie sich beim zweiten Hören auf die Antworten. Machen Sie dabei einige Notizen (z. B. Zahlen), damit Sie sich an wichtige Informationen erinnern können.

Rekonstruieren Sie die Antworten. Überprüfen Sie u. U. deren Richtigkeit am abgedruckten Text.

**8**

Welche Arbeitsmöglichkeiten gibt es an Ihrem Hochschulort?
Erkundigen Sie sich bei Kommilitonen und beim AStA. Gehen Sie bei Bedarf selbst zur Stelle für studentische Arbeitsvermittlung.
Lassen Sie sich von einem Kommilitonen über die Arbeitsmöglichkeiten an Ihrem Hochschulort interviewen.

**9**

Greifen Sie noch einmal auf die Ergebnisse der Aufgabe 5 zurück. Ihre vervollständigten und verbesserten Notizen zu den Interviewfragen müßten ungefähr so aussehen:

– Zusammenhang zwischen Arbeitsamt und Stelle für studentische Arbeitsvermittlung
– Arbeitsmöglichkeiten in Bonn?
– Zahl der vermittelten Studenten?
– Art der Jobs?
– Verdienst pro Stunde?
– Anmeldung des Studenten?
– Öffnungszeiten?
– Warum studentische Arbeitskräfte?
– Zufriedenheit der Arbeitgeber?
– Chancen für ausländische Studenten?
– Größere Chancen bei direkter Bewerbung?

Welche Regeln für sinnvolles Notieren können Sie bei einem Vergleich zwischen dem vollständigen Text und diesen Kurzformulierungen finden? Formulieren Sie diese Regeln.

▷ *AB S.174, 175*

Notizen Notizen Notizen Notizen Notizen Notizen

*Abkürzungen verwenden*

# C. Bewerbungsschreiben

Schreiben Sie nach folgendem Muster eine Bewerbung um eine Arbeitsstelle. Beziehen Sie sich auf eine Zeitungsanzeige.

```
┌──────────────────────────────┐          ┌──────────────────┐
│ Ihr Vor- und Familienname    │          │ Ort, Datum       │
│ Ihre Anschrift               │          │                  │
│  ┌───────────────────────────┤          └──────────────────┘
│  │ Name und                  │
│  │ Anschrift des             │
│  │ Empfängers                │
└──┴───────────────────────────┘
```

Betr.: Bewerbung um die Stelle eines/einer ......
Bezug: Ihre Anzeige in ...... (Name und Zeitung)
       vom ...... (Datum)


Sehr geehrte Damen und Herren,

hiermit bewerbe ich mich um die in der oben genannten
Anzeige ausgeschriebenen Stelle eines/einer ...... .
Ich bin ..... (Nationalität) und ..... Jahre alt.
Zur Zeit studiere ich ..... (Fach/Fächer) an der .....
(Universität/Hochschule). Ich bin ..... von Beruf und
habe bereits ..... Jahre in meinem Beruf gearbeitet.

Ich könnte diese Stelle zum ..... (Datum) antreten.
Ich würde gerne als ..... arbeiten, da ..... (Gründe).
Für ein persönliches Gespräch stehe ich Ihnen am .....
um ..... (Daten und Uhrzeiten)/jederzeit zur Verfügung.

Es würde mich freuen, bald von Ihnen zu hören.

Mit freundlichen Grüßen


...... (Ihre Unterschrift)
(Vor- und Familienname)


Anlage(n): ..... (z.B. Kopien von Zeugnissen, Lebens-
                  lauf, Empfehlungsschreiben)

Vielleicht wollen Sie sich auf eine der beiden folgenden Anzeigen bewerben.

Erklärungen

300 D, 240 D: Wagen der Marke Mercedes (Diesel)

Ablösung: Fahrerwechsel

Einstand: Summe, die man bei Arbeitsaufnahme erhält

UPS: United Parcel Service, ein Paketzustelldienst

# 15 | *Wirtschaft und Gesellschaft*

## A. Adieu „Genosse"

Dreizehn Begriffe wurden den Befragten genannt; sie sollten sagen, welche ihnen „sympathisch" oder „unsympathisch" sind.
Für „unsympathisch" erklärten

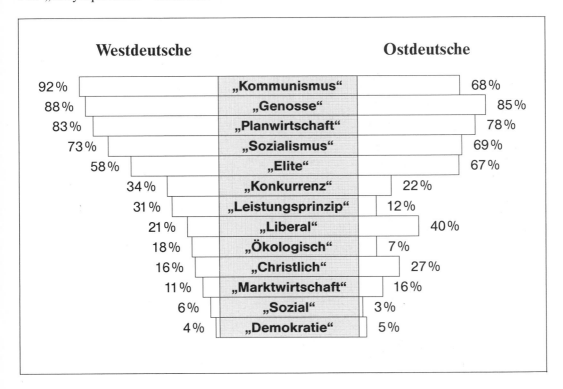

| Westdeutsche | | Ostdeutsche |
|---|---|---|
| 92% | „Kommunismus" | 68% |
| 88% | „Genosse" | 85% |
| 83% | „Planwirtschaft" | 78% |
| 73% | „Sozialismus" | 69% |
| 58% | „Elite" | 67% |
| 34% | „Konkurrenz" | 22% |
| 31% | „Leistungsprinzip" | 12% |
| 21% | „Liberal" | 40% |
| 18% | „Ökologisch" | 7% |
| 16% | „Christlich" | 27% |
| 11% | „Marktwirtschaft" | 16% |
| 6% | „Sozial" | 3% |
| 4% | „Demokratie" | 5% |

**1**
In der Mitte des Schaubildes finden Sie 13 Begriffe. Welche Begriffe gehören Ihrer Meinung nach zusammen? Begründen Sie Ihre Ergebnisse.

**2**
Klären Sie die genaue Bedeutung dieser Begriffe mit Hilfe eines einsprachigen Wörterbuchs oder eines Lexikons. Notieren Sie die Definitionen.

**3**

Warum heißt die Überschrift „Adieu ‚Genosse'"?

**4**

Wie erklären Sie die unterschiedlichen Einstellungen von Ost- und Westdeutschen?
Schreiben oder sprechen Sie einen Text über die wichtigsten Informationen des Schaubildes.

**5**

Welche Begriffe finden Sie unsympathisch? Machen Sie eine Umfrage in Ihrem Kurs und werten Sie diese statistisch aus. Vergleichen Sie Ihr Ergebnis mit den Informationen aus dem Schaubild.

# B. Werbung in den neunziger Jahren

### Vorlaufphase

**1**
Vergleichen Sie die folgenden Texte.

| | |
|---|---|
| (1) Rose (lat.) (Rosa), Gatt. der Rosengewächse mit über 100 sehr formenreichen Arten und zahllosen, in den verschiedensten Farben blühenden, z. T. angenehm duftenden, teilweise stachellosen Gartenformen (...) Häufig auftretende Pilzkrankheiten der R. sind: Echter Mehltau, Falscher Mehltau und Schwarzfleckigkeit. Durch Grauschimmel werden Schäden an Stengeln und Blüten verursacht. Schädlinge sind z. B. Blattläuse, Spinnmilben und R.zikaden. | (2) Was läßt die Rosen prächtiger und länger blühen? Compo Rosendünger mit „echtem Guano". Ein wahres Wunder, was Compo Rosendünger mit „echtem Guano" fertig bringt. Sie wachsen kräftiger, blühen reicher, duften intensiver und halten sich länger. Sie sind widerstandsfähiger gegen Krankheiten und Schädlinge, kommen gesünder durch den Winter und treiben im Frühjahr kraftvoller aus. Compo. Da weiß man vorher, was draus wird. |

Woher stammen diese Texte?
Welche Ziele verfolgen die Verfasser?
Welche sprachlichen Unterschiede können Sie feststellen?

Die beiden Texte müssen auch unterschiedlich gesprochen werden. Versuchen Sie es.

**2**
Vergleichen Sie jetzt Text 2 mit einer Werbung für Compo, die in einem Nachrichtenmagazin erschienen ist. Was fällt Ihnen auf?

# COMPO Guano plus mineralische Nährstoffe: Wenn Sie nichts als gesunden Salat im Kopf haben.

Ihr Speiseplan fordert Gesundes aus dem eigenen Garten? Na, dann nutzen Sie doch mal die Urkraft der Natur! Die bekommt der Boden durch COMPO Guano plus mineralische Nährstoffe, den 100%igen Naturdünger mit dem reduzierten Phosphatanteil für umweltbewußteres Düngen. COMPO Guano plus mineralische Nährstoffe, die gesunde Vollwertnahrung für Ihre Pflanzen! Da haben Sie den Salat – den Sie sich schon immer gewünscht haben!

 *Da freut man sich, daß mehr draus wird.*

**3**

Sammeln Sie Wörter, die zum Thema „Werbung" gehören.
Produkt – Käufer – Interesse – . . .

## Hörverstehen

Hören Sie nun den folgenden Text.
Lesen Sie dabei die folgenden Notizen mit. Es fehlen wichtige Schlüsselwörter.
Setzen Sie diese beim zweiten Hören ein.

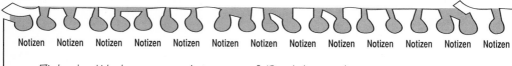

Notizen Notizen Notizen Notizen Notizen Notizen Notizen Notizen Notizen Notizen Notizen Notizen Notizen

*Ziele der Werbung:*      *Interesse f. Produkt wecken*

                *Vorteile...*

*Verbot direkter Vergleiche...*

*Notwendig:*        *dauernde Information...*

            *Trends...*

*Veränderungen d. 80er J: ...*

*Veränderungen i. d. Werbung: ...*

*Beispiel:*        *Waschmittelwerbung*

            *seit 1990: ...*

*weitere Folgen:*       *Firmen werben m. Texten z. Umwelt*

            *Daimler-Benz AG*

**4**

Vergleichen Sie Ihre Ergänzungen mit denen Ihres Nachbarn.
Fertigen Sie nun eine Stichwortskizze an und halten Sie einen kleinen Vortrag über das Thema „Werbung in den neunziger Jahren". Wenn Sie andere Beispiele kennen, fügen Sie diese ein.

**5**

Erklären Sie den soziologischen Begriff *Wertewandel*. Nennen Sie andere Beispiele für einen Wertewandel in der Gesellschaft.

# C. Carl Friedrich von Weizsäcker: Wirtschaft

## Vorlaufphase

### 1

Der folgende Text ist ein Ausschnitt aus der Rede „Der Gang zur Freiheit", die der deutsche Physiker und Philosoph Carl Friedrich von Weizsäcker im März 1991 in der Leipziger Nicolaikirche gehalten hat. Informieren Sie sich mit Hilfe des nachstehenden Lexikon-Artikels über die bekannte Familie von Weizsäcker.
Unterstreichen Sie alle Abkürzungen und lesen Sie diese laut.

2) Carl Friedrich
Frhr. von Weizsäcker

4) Richard Frhr. von Weizsäcker

**Weizsäcker, 1)** Carl Christian Frhr. von, Volkswirtschaftler, Sohn von 2), * Berlin 28. 1. 1938; Prof. in Heidelberg, Bielefeld, seit 1974 in Bonn.

**2)** Carl Friedrich Frhr. von, Physiker und Philosoph, Sohn von 3), Bruder von 4), * Kiel 28. 6. 1912, Prof. für Physik in Straßburg und Göttingen, Tätigkeit am Kaiser-Wilhelm-Institut in Berlin sowie am Max-Planck-Institut in Göttingen, Prof. für Philosophie in Hamburg und 1969–80 Direktor des Max-Planck-Instituts zur Erforschung der Lebensbedingungen der wissenschaftlich-techn. Welt in Starnberg. W. arbeitete über Atomphysik, Mesonen und Feldtheorie, veröffentlichte 1938 eine Theorie der Energieerzeugung in Sternen (→ Bethe-Weizsäcker-Zyklus), 1946 eine Theorie der Entstehung des Planetensystems. Im philosoph. Bereich beschäftigte er sich mit Erkenntnisfragen der Naturwiss., wissenschafts-theoret. Grundproblemen, Themen der Naturphilosophie und Kosmologie sowie der Bedeutung und Verantwortung der Wiss. für die Entwicklung der Gesellschaft und des Weltfriedens. W. organisierte die ›Erklärung der Göttinger Achtzehn‹ (12. 4. 1957, Protest von Wissenschaftlern gegen eine Bewaffnung der Bundeswehr mit Atomwaffen).

WE. Zum Weltbild der Physik (1943, $^{12}$1976); Die Verantwortung der Wiss. im Atomzeitalter (1957); Christl. Glaube u. Naturwiss. (1959); Der ungesicherte Friede (1969); Die Einheit der Natur (1971); Die philosoph. Interpretation der modernen Physik (1972); Der Garten des Menschlichen (1977, TB. 1980); Deutlichkeit (1980, Tb. 1981); Der bedrohte Friede (1981).

5) Viktor Frhr. von Weizsäcker

**3)** Ernst Frhr. von, Diplomat, Vater von 2) und 4), Bruder von 5), * Stuttgart 12. 5. 1882, † Lindau 4. 8. 1951, seit 1920 im diplomat. Dienst, bemühte sich als 35 Staatssekretär im Auswärtigen Amt (1938–43) um Erhaltung, dann um Wiederherstellung des Friedens. Vor Kriegsausbruch ließ er die brit. Reg. vor den aggressiven Absichten A. Hitlers warnen. 1943–45 Botschafter beim Vatikan. Im ›Wilhelmstraßenpro- 40 zeß‹ wurde er 1949 zu 7 Jahren Haft verurteilt; 1950 entlassen.

**4)** Richard Frhr. von, Politiker (CDU), Sohn von 3), Bruder von 2), * Stuttgart 15. 4. 1920, Wirtschafts- jurist und Rechtsanwalt, Präs. des Evang. Kirchenta- 45 ges (1964–70, seit 1977 erneut), Mitgl. des Rates der EKD (seit 1969); MdB. (1969–81), kandidierte 1974 für das Amt des Bundespräs. 1979–81 Bundestags- Vizepräs.; 1981–84 Regierender Bürgermeister von Berlin und dort CDU-Landesvorsitzender; seit 1984 50 Bundespräs. der Bundesrep. Dtl.

**5)** Viktor Frhr. von, Bruder von 3), Neurologe, * Stuttgart 21. 4. 1886, † Heidelberg 9. 1. 1957, seit 1923 Prof. in Heidelberg, 1941 in Breslau, 1946 wie- der in Heidelberg; begründete eine allg. anthropolog. 55 Medizin. Vertreter der Psychosomatik; verstand das Symptom der Krankheit als Ausdruck des Wesens und der Lebensgesch. des Menschen.

## Leseverstehen

**2**

Lesen Sie nun den Text zweimal gründlich.

*Wirtschaft*. Aber hatte Marx denn recht? Ich würde sagen: Ja in wichtigen Stücken seiner Analyse, Nein in seiner Prognose. Ja in wichtigen Stücken der Analyse: Marx 5 sah den innigen Zusammenhang zwischen politischer und ökonomischer Struktur. Er sah, daß die bürgerliche Gesellschaft die politische Freiheit brauchte, um die Freiheit des Markts zu garantieren, und 10 daß sie die Freiheit des Markts brauchte, um die politische Freiheit zu garantieren.

Jeder Versuch, nur eines von beiden zu haben, ist Selbsttäuschung, ist typische Ideologie der Herrschenden, die ihre Herrschaft nicht abgeben wollen. Adam 15 Smith hat hier die analytische Vorarbeit geleistet. Seine Doktrin ist wesentlich ega- litär. Der Markt motiviert den Egoismus und damit die Intelligenz und den Fleiß von Millionen; jede zentral geplante Wirt- 20 schaft hängt vom Egoismus und der Intel- ligenz einer Klasse von Funktionären ab und funktioniert entsprechend schlechter. Nun ist dieses simple Argument für den Markt und gegen planende Funktionäre zwar richtig, aber es genügt nicht. Ich habe mir für solche Situationen eine Redefigur zurechtgelegt. Ich spreche vom „politischen Fehlschluß", wenn jemand so argumentiert: „Was mein Gegner vorschlägt, kann nachweislich nicht funktionieren; daraus folgt logisch, daß das, was ich vorschlage, funktionieren wird". Daß die Planwirtschaft der gegen Kritik politisch abgesicherten Funktionäre nicht funktioniert – und ich sage: nicht funktionieren kann – wird heute dramatisch offenkundig. Daß aber andererseits der Markt das Problem der sozialen Verteilungsgerechtigkeit nicht löst, mußte zur Zeit von Marx und Engels als offenkundig erscheinen. Deshalb prophezeiten diese die proletarische Revolution. Hatten sie recht?

Nein in der Prognose. Nie hat bisher in einem hochindustrialisierten Land eine proletarische Revolution stattgefunden. Die Arbeiter sind aus einer proletarischen in eine kleinbürgerliche Existenz übergegangen; es gibt kein revolutionäres Potential mehr in den westlichen Industriestaaten. Ermöglicht ist dies durch die ständig zunehmende Güterproduktion auf dem Markt. Herbeigeführt aber ist es durch die politische Freiheit, die den Armen Gelegenheit gab, sich zu organisieren. Der heutige westliche Sozialstaat ist die Folge des politischen Siegs der Gewerkschaften und der Sozialdemokratie. Sieg der Gewerkschaften: Sie sind heute die mächtigen kapitalistischen Interessenvertreter der Arbeitnehmer. Sieg der Sozialdemokratie: Alle konservativen Parteien haben deren wichtigste Programmpunkte in das eigene Programm übernommen. Man darf nur noch von sozialer Marktwirtschaft reden. Aber das ist noch keine volle Rechtfertigung des Marktes. Es gilt für diejenigen Bevölkerungsgruppen, die sich die Unterstützung demokratischer Mehrheiten sichern können; nicht für permanent Arbeitslose, nicht für Ausländer und ethnische Minderheiten. Und es gilt überhaupt nicht auf dem Weltmarkt. Die Dritte Welt, die absolute Mehrheit der heutigen Menschen, lebt noch immer mit einer frühkapitalistischen Kluft zwischen Reichen und Armen. Und der zunehmende Zusammenschluß wirtschaftlicher Macht in Großfirmen macht das egalitäre Argument von Adam Smith immer schwächer. Der Rechtsstaat schließlich, an den der Staatsbürger appellieren kann, hat keine Parallele in einer internationalen Rechtsordnung.

Ich habe hier von den Problemen des Westens und Südens gesprochen. Welche Wirtschaftsform soll die Revolution der Freiheit in der östlichen Hälfte Europas anstreben? Genau hierüber geht heute die Debatte.

**3**

Wie ist der Text gegliedert?
Formulieren Sie die Leitinformationen der sechs Abschnitte. Notieren Sie anschließend die wichtigsten Aussagen zu Markt- und Planwirtschaft und geben Sie diese mit eigenen Worten wieder.

**4**

Die vorsichtige Behauptung

Z. 2 *Ich würde sagen:* Ja in wichtigen Stücken...

Z. 35/36 ...nicht funktioniert – *und ich sage:* nicht funktionieren kann...

Welches der beiden Zitate würden Sie eine „vorsichtige" oder „indirekte" Behauptung nennen? Aus welchem Grund wird diese Behauptung Ihrer Meinung nach nicht direkt formuliert?

**5**

Der Parallelismus
In diesem Text werden mehrfach dieselben oder ähnliche Worte bzw. Formulierungen wiederholt.
Beispiele:

Z. 4/5 Marx *sah*... – Z. 7 Er *sah*...

Z. 58/59 *Sieg der* – Z. 61 *Sieg der*
Gewerkschaften      Sozialdemo-
                    kratie

Z. 26 *Ich*... – Z. 28 *Ich*...

Z. 44 *Nein*... – *Nie*...

Unterstreichen Sie die übrigen Parallelismen in von Weizsäckers Rede. Welche Aufgabe haben solche Wortwiederholungen für die Rezeption gesprochener Sprache?

**6**

Wortspiel
Z. 22/23 ... *Funktionären* ... und *funktioniert* entsprechend schlechter. *Funktionär* und *funktionieren* gehören zu derselben Wortfamilie und werden hier im selben Satz verwendet. Welche Intention verfolgt der Autor damit?

**7**

Phrasen
Einige Phrasen in diesem Text sind etwas kompliziert. Um sie richtig zu verstehen, muß man sie richtig untergliedern.

Z. 56–58 ... ist die Folge des politischen Siegs der Gewerkschaften und der Sozialdemokratie.

Was ist richtig?

☐ Von *Folge* hängen zwei Genitive ab (*Sieg, Gewerkschaften* und *Sozialdemokratie*).

☐ Der Genitiv von *Sieg* hängt von *Folge* ab, die Genitive von *Gewerkschaften* und *Sozialdemokratie* hängen vom Genitiv *Siegs* ab.

Z. 77–79 ... der zunehmende Zusammenschluß wirtschaftlicher Macht in Großfirmen...

Der Genitiv von *wirtschaftliche Macht* hängt von *Zusammenschluß* ab. Wovon hängt *in Großfirmen* ab, von *Zusammenschluß* oder von *Macht*?

Was bedeutet der Satz?

☐ Wirtschaftliche Macht schließt sich zusammen, und zwar in Großfirmen.

☐ Wirtschaftliche Macht in Großfirmen schließt sich zusammen.

# D. Gerhart Hauptmann: aus „Die Weber"

## Vorlaufphase

**1**

Informieren Sie sich über Gerhart Hauptmann.

**2**

Lesen Sie zur Einführung folgenden Kurztext und referieren Sie anschließend die darin enthaltenen Informationen.

In den 40er Jahren des letzten Jahrhunderts gab es in Deutschland (im Gegensatz zu England) weniger als 5% Fabrikarbeiter. Viele verdienten ihren Lohn in Heimarbeit. So holten sich z. B. die Weber ihre Rohstoffe (Baumwollgarne/Flachs) von einem Großhändler und verarbeiteten sie zu Hause – unter Mithilfe der ganzen Familie, auch der Kinder – zu Leinen („Leinwand") bzw. zu Baumwollgewebe („Parchent"). Die Löhne waren nach heutigen Maßstäben unvorstellbar gering. 1844 war die Lage der schlesischen Weber so schrecklich, daß sie gegen die Unternehmer einen Aufstand machten, der mit Hilfe von Soldaten niedergeschlagen wurde. Dies ist das Thema von Gerhart Hauptmanns Drama „Die Weber" (1892), das im September 1894 im Deutschen Theater Berlin zum ersten Mal öffentlich aufgeführt wurde.

## Hörverstehen

**3**

Worterklärungen

der Skribent, -en (abschätzig): hier: jemand, der für eine Zeitung Artikel schreibt

die Schauergeschichte, -n: eine (sehr übertriebene) Geschichte, die Angst macht

der Fusel: billiger, schlechter Schnaps

das Schock: hier: Maß für Tuche

**4**

Lesen Sie die folgenden Leitfragen, hören Sie den Text dann mehrmals und beantworten Sie danach die Leitfragen schriftlich.

– Wem macht Dreißiger Vorwürfe wegen des Jungen? Sind diese Vorwürfe berechtigt?
– Warum interessiert er sich für das Schicksal des Jungen?
– Wie wird – nach seinen Aussagen – der Fabrikant in der Öffentlichkeit angesehen?
– Wie sieht er selbst seine Existenz als Unternehmer?
– Wie spricht er über den Bäcker?
– Wie versucht er, die revolutionäre Bewegung aufzuhalten?
– Welche Aussagen macht er über die Marktchancen seiner Produkte?

**5**

Hören Sie den Text noch einmal und lesen Sie ihn dabei mit.
Präzisieren bzw. ergänzen Sie danach die Antworten auf die Leitfragen.

**6**

Verbessern Sie Ihre Antworten in der Gruppe.

**7**

Diskutieren Sie die Szene. Berücksichtigen Sie dabei folgende Gesichtspunkte:

Dreißiger ist mit Sicherheit ein Unternehmer, der Hungerlöhne zahlt und sich rücksichtslos bereichert. Er lebt mit seiner Familie in einem luxuriösen Haus.
Aber seine Aussagen über die Marktchancen für seine Produkte sind nicht falsch. Denn die englischen (mit Maschinen hergestellten) Waren überschwemmen den deutschen Markt. Außerdem haben die deutschen Unternehmer keine Exportchancen, weil das Ausland sich durch hohe Zölle abschirmt.

Ein Vorschlag für Ihre Diskussion:
Führen Sie ein fiktives Streitgespräch zwischen Dreißiger und Bäcker.

**8**
Gerhart Hauptmann wurde nach den ersten Aufführungen des Dramas kritisiert, weil
es in den „Webern" keine Helden gebe. Er antwortete darauf in Versen.
Achten Sie auf deren Betonung und interpretieren Sie die Verse.

> Héldlos schéint euch das Stück? Wie dénn? Durch sämtliche Ákte,
> wáchsend ein ríesiges Maß, schréitet als Héldin die Nót.

▷ *AB S. 179*

## E. Helga Grebing: Die gesellschaftliche Situation des Arbeiters heute

### Vorlaufphase

**1**
Was verstehen Sie unter dem Begriff *Proletarier?* Tragen Sie zusammen, was Sie
darüber wissen.

**2**
Glauben Sie, daß die Arbeiter in der Bundesrepublik Deutschland heute noch Proletarier sind? Was spricht dafür, was dagegen?

### Leseverstehen

## Helga Grebing

### Die gesellschaftliche Situation des Arbeiters heute

| These | Wie es scheint, ist der Arbeiter von heute kein Proleta- | 1. denn, nämlich, obwohl |
| Begründung der These | rier mehr: er hat ein über sein Existenzminimum hinaus- reichendes Einkommen, er gleicht sich in Lebensweise und -einstellung mehr und mehr den Mittelschichten an, | |
| | 5 die man traditionell als Kleinbürger bezeichnet, und vor allem: es fehlt das proletarische Klassen(kampf)be- wußtsein. | 2. weil, aber, obwohl |

▷

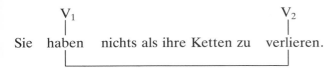

$V_1$ und $V_2$ bilden **die Satzklammer. Manche Satzglieder** können jedoch auch hinter $V_2$ stehen, d. h. sie **werden ausgeklammert:**

Subjekt, Dativ- und Akkusativobjekt werden gewöhnlich nicht ausgeklammert.

> Die Ausklammerung dient oft der Hervorhebung eines Satzteils.

Überprüfen Sie, ob Satzglieder ausgeklammert werden können, und wenn ja, welche. In einigen Fällen muß man sogar ausklammern.

1. Die neue Position ist kaum besser als die seiner Lehrjahre gewesen.
2. Viele müssen eine Entwertung ihrer beruflichen Qualifikation erleben.
3. Die berufliche Geltung hat schon immer eine größere Rolle als Geld gespielt.
4. Viele müssen sich gleich nach dem Abschluß ihrer Lehre umschulen lassen.
5. Mancher Arbeiter muß vorzeitig aus dem Arbeitsprozeß ausscheiden.
6. Das Sinken der beruflichen Geltung muß nicht unbedingt mit dem Verlust des materiellen Status verbunden sein.

Einige Sätze bekommen nach der Ausklammerung eine etwas umgangssprachlichere Färbung. Welche sind dies nach Ihrer Ansicht?

▷ *RG §§ 342 ff.*
▷ *AB S. 181*

Notizen Notizen Notizen Notizen Notizen Notizen Notizen

*Thesenpapier*

*Thesen*

*1. ...*

*2. ...*

*3. ...*

# F. „Hierarchie überall"

**1**

Wie nennt man eine solche Zeichnung?

**2**

Kennen Sie das Märchen, in dem vier von diesen Tieren vorkommen? Wenn ja, erzählen Sie es.

**3**

Die Deutschen schreiben diesen Tieren gewisse Eigenschaften zu. Welche paßt wohl zu welchem Tier: dumm, stolz, treu, falsch, schmeichlerisch, unterwürfig, störrisch.

**4**

Werden diesen Tieren auch in Ihrem Land bestimmte Eigenschaften zugeschrieben? Wenn ja, welche?

**5**

Warum hat ein Tier eine „Sprechblase"? Was könnte noch darin stehen?

**6**

Beziehen Sie diese Zeichnung auf die Situation in einem Betrieb. Für welche Personen könnten die Tiere stehen?

# G. „Miteinander leben in Berlin"

### Vorlaufphase

**1**

In Berlin lief eine große Kampagne unter dem Motto „Miteinander leben in Berlin". Auf Plakaten und durch Faltblätter wurde für ein gutes Zusammenleben von Deutschen und ausländischen Mitbürgern geworben.

Vor welchem Hintergrund ist diese Aktion zu sehen?

**2**

Viele Deutsche sind der Meinung, daß die ausländischen Arbeitnehmer in ihre Heimatländer zurückkehren sollten. Welche Gründe werden dabei vorgebracht?

# Wenn alle Ausländer die Bundesrepublik verlassen...

Die Pizzeria an der Ecke und das China-Restaurant sind plötzlich verschwunden. Den griechischen Gemüseladen und den netten türkischen Schneider gibt es nicht mehr. An dem jugoslawischen Restaurant hängt ein Schild „Zu vermieten". Nicht nur die Vielfalt der Kulturen, die unser Leben farbiger machen, und die Herzlichkeit und Gastfreundschaft unserer ausländischen Mitbürger fehlen. Wenn alle ausländischen Mitbürger in ihre Heimatländer zurückkehren würden, hätte dies vor allem harte wirtschaftliche Folgen:

## Rentenzahlung nicht gesichert

Ausländische Arbeitnehmer zahlen – wie jeder deutsche Arbeitnehmer – Beiträge zur Rentenversicherung. Doch nur wenige von ihnen nehmen bereits Rente in Anspruch. Die von ausländischen Arbeitnehmern gezahlten Beiträge kommen vor allem den deutschen Rentnern zugute. Bei der derzeitigen Ebbe der Rentenversicherungskassen würde ein Wegfall dieser Beiträge voraussichtlich zu finanziellen Einbußen für alle Rentner führen.

## Erzieher und Lehrer arbeitslos

Berliner Kindertagesstätten und Schulen werden auch von den ausländischen Kindern besucht. Würden diese mit ihren Eltern in die Heimatländer gehen, müßten Kindertagesstätten geschlossen und Erzieher und Lehrer entlassen werden.

## Erheblicher Kaufkraftverlust

Ein Wegzug aller ausländischen Mitbürger würde zu einem erheblichen Kaufkraftverlust führen. Alle Branchen, vom kleinen Einzelhandelskaufmann über Dienstleistungsbetriebe bis hin zum Großkonzern wären betroffen. Ausländische Arbeitnehmer überweisen oft einen erheblichen Teil ihres Einkommens in ihre Heimatländer. Diese sind erst dadurch in der Lage, deutschen Firmen Aufträge zu erteilen.

Viele Arbeitsplätze sind nicht an deutsche Arbeitskräfte zu vermitteln. Der Mangel an Arbeitern würde zur Entlassung von Angestellten führen.

## Häuser und Wohnblocks verkommen

Viele ausländische Familien wohnen in veralteten, schlecht ausgestatteten Wohnungen. Deutsche Familien sind nicht bereit, dort einzuziehen. Ohne Mieter würden die Häuser ganz verfallen. In einigen Stadtteilen würden ganze Straßenzüge veröden.

## Aus all dem ergibt sich:

Ausländische Arbeitnehmerfamilien sind ein integrierter, bedeutsamer Bestandteil unseres wirtschaftlichen und sozialen Systems. Unsere Probleme, wie Arbeitslosigkeit und Wohnungsmangel, lassen sich nur gemeinsam lösen.

**3**

Aufbau des Textes

Was steht in den einzelnen Teilen des Textes? Ordnen Sie die Elemente einander zu.

Einleitung — ein Appell (ein Aufruf)
Hauptteil ◄ Beispiele für sofort sichtbare
Schluß      Folgen des Wegzugs
     ein Fazit (ein Resümee)
     Beispiele für wirtschaftliche
     Folgen
     Ankündigung der wirtschaftlichen Folgen

**4**

Real oder hypothetisch?

In welchem Verhältnis steht die Überschrift zu den ersten vier Sätzen des Textes?

*Wirklicher Grund – Folge* oder
*möglicher Grund – mögliche Folge.*

Wird in den ersten vier Sätzen des Textes eine reale oder eine hypothetische Situation beschrieben?
Warum wird wohl der Indikativ verwendet?
Wo wird die Konstruktion, die in *Z. 9* mit *Nicht nur...* beginnt, fortgesetzt?

Obwohl die beiden letzten Sätze des ersten Abschnitts zusammengehören und hypothetisch sind, steht der eine Satz im Indikativ, der andere jedoch im Konjunktiv II. Halten Sie diesen Wechsel für guten Stil?

Wie müßten die ersten vier Sätze des Textes sowie die Überschriften der Abschnitte zwei bis fünf heißen, wenn der Autor von Anfang an deutlich gemacht hätte, daß die Situation hypothetisch ist? Beginnen Sie so:
Wenn alle Ausländer die Bundesrepublik verließen, ...

**5**

Welche Absicht wird mit dem Artikel verfolgt? Diskutieren Sie folgende Thesen:

Der Artikel soll in erster Linie
– davor warnen, die Ausländer aus der Bundesrepublik auszuweisen.
– die Ausländer ermutigen, in der Bundesrepublik zu bleiben.
– die Deutschen dazu auffordern, die Probleme gemeinsam mit den Ausländern zu lösen.
– die Deutschen davon überzeugen, daß es für sie vorteilhaft ist, wenn die Ausländer in der Bundesrepublik bleiben.

**6**

Wie kann man noch sagen?
Formen Sie die kursiv gesetzten Ausdrücke mit Hilfe der Vorgaben um.

| | |
|---|---|
| Nur wenige ausländische Arbeitnehmer *nehmen bereits* Rente *in Anspruch*. | beziehen schon |
| Die *von den ausländischen Arbeitnehmern bezahlten* Beiträge *kommen vor allem* den deutschen Rentnern *zugute*. | Die Beiträge, ..., nützen in erster Linie ... |
| *Ein Wegfall dieser Beiträge* würde voraussichtlich *zu finanziellen* Einbußen für alle Rentner *führen*. | Wenn ..., würde dies ... bedeuten. |

*Würden* die ausländischen Kinder mit ihren Eltern in die Heimat gehen, *müßten* Erzieher und Lehrer entlassen werden.

Falls . . . ,
müßte man . . .

*Ein Wegzug aller ausländischen Mitbürger* würde *zu einem* erheblichen Kaufkraftverlust *führen*.

Wenn . . . ,
würde dies . . .
verursachen.

Viele Arbeitsplätze *sind* nicht an deutsche Arbeitskräfte *zu vermitteln*.

können . . . /
kann man . . . /
sind . . .
vermittel____.

*Der Mangel* an Arbeitern würde *zur Entlassung von Angestellten* führen.

Würde es . . . ,
würde dies dazu
führen, . . .

*Ohne Mieter* würden die Häuser verfallen.

Wenn . . .

Unsere Probleme *lassen sich* nur gemeinsam *lösen*.

können . . . /
kann man . . . /
sind . . . /
sind . . . lös____.

▷ *AB S. 182*

# Lektionen 16/17

## Themenbereich
### Gesundheit und Krankheit

# 16 | *Einfluß von Klima und Wetter auf den Menschen*

## A. Gedichte zu den Jahreszeiten

**Er ist's**

Frühling läßt sein blaues Band
Wieder flattern durch die Lüfte;
Süße, wohlbekannte Düfte
Streifen ahnungsvoll das Land.
Veilchen träumen schon,
Wollen balde kommen.
– Horch, von fern ein leiser Harfenton!
Frühling, ja du bist's!
Dich hab ich vernommen!

*Eduard Mörike*

**Herbsttag**

Herr: es ist Zeit. Der Sommer war sehr groß.
Leg deinen Schatten auf die Sonnenuhren,
und auf den Fluren laß die Winde los.

Befiehl den letzten Früchten voll zu sein;
gib ihnen noch zwei südlichere Tage,
dränge sie zur Vollendung hin und jage
die letzte Süße in den schweren Wein.

Wer jetzt kein Haus hat, baut sich keines mehr.
Wer jetzt allein ist, wird es lange bleiben,
wird wachen, lesen, lange Briefe schreiben
und wird in den Alleen hin und her
unruhig wandern, wenn die Blätter treiben.

*Rainer Maria Rilke*

**Sommer**

Am Abend schweigt die Klage
Des Kuckucks im Wald.
Tiefer neigt sich das Korn,
Der rote Mohn.

Schwarzes Gewitter droht
Über dem Hügel.
Das alte Lied der Grille
Erstirbt im Feld.

Nimmer regt sich das Laub
Der Kastanie.
Auf der Wendeltreppe
Rauscht dein Kleid.

Stille leuchtet die Kerze
Im dunklen Zimmer;
Eine silberne Hand
Löschte sie aus;

Windstille, sternlose Nacht.

*Georg Trakl*

## EIN LIED
*hinterm Ofen zu singen*

Der Winter ist ein rechter Mann,
    Kernfest und auf die Dauer;
Sein Fleisch fühlt sich wie Eisen an,
    Und scheut nicht Süß noch Sauer.

War je ein Mann gesund, ist er's,
    Er krankt und kränkelt nimmer,
Weiß nichts von *Nachtschweiß* noch *Vapeurs,*
    Und schläft im kalten Zimmer.

Er zieht sein *Hemd* im Freien an,
    Und läßt's vorher nicht wärmen;
Und spottet über Fluß im Zahn
    Und Kolik in Gedärmen.

Aus Blumen und aus Vogelsang
    Weiß er sich nichts zu machen,
Haßt *warmen* Drang und *warmen* Klang
    Und alle *warmen* Sachen.

Doch wenn die Füchse bellen sehr,
    Wenn's Holz im Ofen knittert,
Und um den Ofen Knecht und Herr
    Die Hände reibt und zittert;

Wenn Stein und Bein vor Frost zerbricht
    Und Teich' und Seen krachen;
Das klingt ihm gut, das haßt er nicht,
    Denn will er sich totlachen –

Sein Schloß von Eis liegt ganz hinaus
    Beim Nordpol an dem Strande;
Doch hat er auch ein Sommerhaus
    Im lieben Schweizerlande.

Da ist er denn bald dort bald hier,
    Gut Regiment zu führen;
Und wenn er durchzieht, stehen wir
    Und sehn ihn an und frieren.

*Matthias Claudius*

---

Erklärungen

*Er ist's*
ahnungsvoll: voller Ahnung
der Harfenton, ¨e: Ton einer Harfe

*Sommer*
der Mohn: rote Blume
die Grille, -n: zirpendes Insekt
die Wendeltreppe, -n: geschraubte Treppe
die Kerze, -n: Wachslicht

*Herbsttag*
die Flur, -en: Äcker und Wiesen
zur Vollendung hindrängen: hier auch: etwas
schnell reifen lassen
jagen: hier: hineintreiben

*Ein Lied, hinterm Ofen zu singen*
kernfest: kernig, stark u. fest
die Vapeurs (Pl.): Blähungen (Gas in Darm und
Magen)
Fluß im Zahn: eitrige Zahnkrankheit
Kolik in Gedärmen: Darmkolik, Anfall von Leib-
schmerzen
knittern: hier: (lautmalend) knistern und knattern
das Regiment führen (idiom.): herrschen

## 1
Hören Sie die Gedichte zweimal und
lesen Sie sie dabei.

> Jedes Gedicht hat eine Klangge-
> stalt. Durch Klang, Rhythmus,
> Metrum, Vers und Reim wird dem
> Hörer/Leser eines Gedichts etwas
> mitgeteilt, auch wenn er nicht je-
> des Wort versteht.

Versuchen Sie, die Gedichte nach
dem ersten Hören zu charakterisieren. Vielleicht können Ihnen folgende
Adjektive dabei helfen:

fröhlich – humorvoll – traurig – trauernd – still –
unruhig – bestimmt – fordernd – unbestimmt –
geheimnisvoll – feierlich – jubelnd – traumhaft –
bedrohlich – frisch

Achten Sie beim zweiten Hören/Lesen auf folgende Punkte:
Wo werden Pausen gemacht und wo keine? Machen Sie an den Stellen, wo Pausen sind, Schrägstriche (/).
Welche Worte werden hervorgehoben?
Welche Stellen werden laut/leise, schnell/langsam gelesen?

Lesen Sie nun die Gedichte laut vor und versuchen Sie dabei, die Vortragsweise der Sprecher zu imitieren.

## 2

Bilden Sie vier Gruppen. Jede Gruppe untersucht ein Gedicht unter folgenden Gesichtspunkten:
- Was teilt das Gedicht über die Jahreszeit mit?
- Durch welche Bilder wird die Natur dargestellt?
- Wie ist der Bezug zwischen Mensch und Welt?

## 3
### Zu *Er ist's*

**Eduard Mörike** (1804 Ludwigsburg – 1875 Stuttgart), bedeutendster deutscher Lyriker zwischen Romantik und Realismus; seine Lyrik ist von starker Bildkraft und hoher Musikalität; von seinen Prosawerken (Märchen, Novellen, Roman) ist die Novelle *Mozart auf der Reise nach Prag* am bekanntesten.

Welcher Vers ist nicht gereimt? Warum gerade dieser?
Wer wird mit *Horch, . . .* angesprochen?

## 4
### Zu *Sommer*

**Georg Trakl** (1887 Salzburg – 1914 Krakau), bedeutender österreichischer Lyriker des Frühexpressionismus; schafft mit seinen Versen eine Traumwelt, die von düsteren Todesahnungen und Untergangsvisionen erfüllt ist. Trakl reiht Bilder aneinander, die schwer zu entschlüsseln sind. Sie werden deshalb auch Chiffren (= Geheimzeichen) genannt.

Versuchen Sie zu sagen, was die Bilder vorstellen und worauf sie verweisen.
Welche Stimmung wird hier geschaffen?
Entsprechen sich die Bilder aus der Natur und der Menschenwelt?

## 5
### Zu *Herbsttag*

**Rainer Maria Rilke** (1875 Prag – 1926 Val Mont/ Schweiz), bedeutendster deutschsprachiger Lyriker der ersten Hälfte des 20. Jahrhunderts; virtuose Sprach- und Formbegabung.

Wer ist der *Herr?* Worüber ist er Herr?
Welche Worte aus dem Bereich der Natur können sich auch auf das Werk eines Menschen beziehen?
Wie unterscheidet sich die dritte Strophe von den beiden ersten? Nennen Sie Gründe für diesen Unterschied.

## 6
### Zu *Ein Lied, hinterm Ofen zu singen*

**Matthias Claudius** (1740 Reinfeld/Holstein – 1815 Hamburg), Lyriker und Prosaschriftsteller; liedhafte Lyrik; Gespräche, Briefe, Fabeln und Sprüche in volkstümlichem Ton.

Der Winter wird personifiziert. Welche Eigenschaften hat er? Was tut er? Was liebt und was haßt er? Wo wohnt er und warum gerade dort? Kommentieren Sie den Umgang des Dichters mit der Geographie.
Warum ist gerade im Zusammenhang mit dem Winter von Krankheit die Rede? Erklären Sie von daher den Titel.

## B. Wettervorhersage

### Vorlaufphase

**1**

Sammeln Sie alle Ihnen bekannten Ausdrücke, die sich auf das Wetter beziehen.
Suchen Sie auch in den Gedichten zu den
Jahreszeiten Ausdrücke, die Witterungs-
verhältnisse bezeichnen.

| Substantive mit Artikel und Plural | Adjektive | Verben | |
|---|---|---|---|
| | | Infinitiv | es-Form |
| der Regen, die Regenfälle | regnerisch | regnen | es regnet |
| | | | |
| | | | |
| | | | |
| | | | |

### Leseverstehen

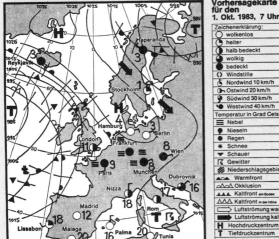

**Lage:** Ein von Grönland nach
Mitteleuropa reichender Hochkeil
verlagert sich weiter südostwärts
und bleibt zunächst noch wetterbe-
stimmend.

**Vorhersage:** In der Frühe verbreitet Nebel oder Hochnebel, nach
dessen zum Teil nur zögernder Auflösung sonnig und trocken. Tages-
höchsttemperaturen 17 bis 22 Grad,
in Nebelgebieten um 13 Grad.
Tiefstwerte in der Nacht zum
Sonntag 10 bis 5, im Osten um
3 Grad.

**Aussichten:** Am Sonntag anfangs
freundlich, gegen Abend im Westen
Bewölkungszunahme.

**2**

Sehen Sie sich die Zeichenerklärung neben der Wetterkarte an. Klären Sie (in Partner- oder Kleingruppenarbeit und mit einem Wörterbuch) die unbekannten Wörter.

Ergänzen Sie die Wortliste auf Seite 175 mit den Wörtern der Zeichenerklärung und fragen Sie sich immer, ob es zu einem Adjektiv ein Verb und/oder ein Substantiv und zu einem Substantiv ein Adjektiv und/oder ein Verb gibt.

Hinweis: Es gibt verschiedene Arten von Schauern, und was kann man bei einem Gewitter sehen und hören?

**3**

Lösen Sie folgende Nominalkomposita auf:

Windstille herrscht dort, wo ... ... weht.
Der Nordwind ist ...
Ein Niederschlagsgebiet ist ... ..., ... ... Niederschläge fallen.
Eine Warmfront ...
Eine kalte Luftströmung ...
Ein Hochdruckzentrum ...
Ein Tiefdruckzentrum ... (Vorsicht!)

Erschließen Sie die Bedeutung von *Okklusion* mit Hilfe des dafür stehenden Zeichens oder suchen Sie eine Erklärung in einem Fremdwörterbuch.

**4**

Sehen Sie sich nun die Wetterkarte an.
In welchen deutschen Großstädten soll der Himmel um 7 Uhr wolkenlos, in welchen bedeckt sein?
In welchen Teilen Deutschlands sollten die Autofahrer am Morgen des 1. Oktobers vorsichtig fahren? Warum?
In welcher deutschen Großstadt wird es um 7 Uhr morgens wahrscheinlich am kältesten sein?

**5**

Lesen Sie nun die Texte, die neben der Wetterkarte stehen.

Lage

Was bestimmt zunächst noch das Wetter? Welche Form hat ein Keil? Nennen Sie keilförmige Gegenstände. Ergänzen Sie: Ein von Grönland nach Mitteleuropa reichender Hochkeil ist ein Keil ... ..., der ...

Vorhersage

Für welchen Tag gilt die Vorhersage? Wie wird das Wetter tagsüber sein? Wie sollte man sich anziehen? Sind diese Tagestemperaturen in dieser Jahreszeit in Deutschland normal?

Aussichten

Muß man zum Sonntagsspaziergang einen Regenschirm mitnehmen? Wird das Wetter weiterhin so freundlich bleiben? Warum (nicht)? Sehen Sie noch einmal auf die Wetterkarte!

**6**

Sprechen Sie über das Klima in Ihrem Heimatland.

Klimazone (heiß-tropisch – subtropisch – gemäßigt – kalt); Jahreszeiten; Temperaturunterschiede zwischen Tag und Nacht etc.

> Anruf beim Wetterdienst: „Ich wollte Ihnen nur sagen, die Feuerwehr pumpt gerade einen Meter Ihrer leichten Bewölkung aus meinem Keller."

**7**

Das Wetter und die zwischenmenschlichen Beziehungen

Der Wortschatz, mit dem man Wetter und Klima beschreibt, dient auch zur Charakterisierung von Menschen, ihrem Verhalten und der Kommunikation zwischen

Menschen. Nicht nur das Wetter ist kalt, man kann auch einen Menschen als kalt bezeichnen. Auch in der Politik benutzt man Wörter wie „Frostperiode" und „Tauwetter" oder „Frühling", um die Beziehungen zwischen Staaten zu charakterisieren.

Übung
Setzen Sie bitte die folgenden Adjektive bzw. Verben ein. Es gibt mehrere richtige Lösungen!

warm – eisig – kühl – frostig – stürmisch – auftauen – hageln – donnern

ein _____ Händedruck
ein _____ Empfang
ein _____ Blick
ein _____ Liebhaber

„Schweigen Sie!" _____ der Chef.
Nach den jüngsten Sparbeschlüssen _____ es Proteste.
Fritz ist ein zurückhaltender Mensch. In manchen Unterhaltungen _____ er nur sehr langsam _____.

# C. Gesundheit und Wetter

## Vorlaufphase

### 1

„Das Wetter, das uns krank macht." Unter diesem Titel kündigte eine große deutsche Boulevardzeitung eine Artikelserie an.
Welche These ist in diesem Titel enthalten?
Diskutieren Sie auf der Basis Ihrer persönlichen Erfahrungen.

### 2

*Heiterkeit – Eintrüben – Trübsinn – Aufheiterung*
Mit welchen dieser Substantive werden Wettergeschehen, mit welchen menschliche Stimmungen beschrieben?

### 3

Der „Große Brockhaus" präsentiert unter dem Stichwort *Inversion* nicht weniger als zehn verschiedene Erklärungen, weil der Begriff in verschiedenen wissenschaftlichen Disziplinen verschieden definiert wird. Die einzelnen wissenschaftlichen Disziplinen sind: Genetik, Chemie, Mathematik, Geologie, Kristallographie, Medizin, Meteorologie, Musik, Grammatik, Optik.

Kennen Sie die Definition des Begriffs *Inversion* für eines dieser Fachgebiete?

Welche Definition brauchen Sie im Zusammenhang mit unserem Thema? Im folgenden ist sie abgedruckt. Lesen Sie den Text laut vor. Beachten Sie dabei, daß die Abkürzungen als ganze Wörter zu sprechen sind. Erklären Sie dann, was eine Inversionswetterlage ist.

„Inversion: . . . 7): Temperaturumkehr in der Atmosphäre, d. h. Zunahme der Temperatur mit der Höhe statt der normalen Abnahme, bes. im Winter bei ruhiger Luft in Gebirgsbecken durch nächtl. Strahlenverlust der Erdoberfläche (Boden-I.) . . . In jeder I. ist der vertikale Luftaustausch unterbunden; unter ihr reichern sich Dunst und Staub an und führen in Großstädten und Industriegebieten zur Luftverschmutzung."

### 4

Erklären Sie mit Hilfe des Wörterbuches oder des Lexikons das Wort *Reiz*.

## Hörverstehen

**5**

Kursorisches Hörverstehen (= Formulieren der Leitinformation)
Hören Sie die einzelnen Abschnitte einmal. Sie haben nach jedem Abschnitt etwas Zeit, um die Leitinformation schriftlich zu formulieren.

1. _____

2. _____

3. _____

4. _____

5. _____

Vergleichen Sie Ihre Ergebnisse.

**6**

Intensive(re)s Hörverstehen

Hören Sie jeden Abschnitt noch einmal. Sie können notieren. Referieren Sie nach jedem Abschnitt wichtige Details, die Sie verstanden haben.

**7**

Auf Seite 179 ist in der linken Spalte der Text von Abschnitt 3 abgedruckt, in der rechten Spalte ein Vorschlag für eine sinnvolle Mitschrift.

Streichen Sie im Text alle Wörter, die in der Mitschrift weggelassen sind.
Überlegen Sie: Welche Wörter/Satzteile sind von den Streichungen in der Hauptsache betroffen? Warum sind sie entbehrlich?

Versuchen Sie, in Form einer Regel zu formulieren, welche Worte notiert werden müssen, welche beim Mitschreiben weggelassen werden können.
In der Mitschrift finden Sie auch einige Abkürzungen. Um welche Wörter geht es? Warum sind gerade diese abgekürzt?

| **Gesprochener Text** | *Mitschrift:* |
|---|---|
| Davon gibt es freilich Ausnahmen. So hat man sich z. B. wissenschaftlich beschäftigt mit der großen Grippeepidemie in Petersburg zum Jahreswechsel 1781/82, bei der gleichzeitig etwa 40 000 Menschen erkrankten. Man stellte fest, daß sie mit einer stabilen Hochdruckwetterlage und strengem Frost zusammenfiel. Heute nimmt man an, daß eine sogenannte Inversionswetterlage dafür verantwortlich war. Eine solche Inversionswetterlage entsteht, wenn sich eine wärmere Luftschicht zwischen kältere Luftschichten schiebt und dadurch Luftzirkulation verhindert wird. | *Ausnahmen:*<br><br>*z.B. Grippe-Epidemie*<br>*i. Petersburg 1781/82*<br>*40 000 Menschen krank*<br><br>*stabiler Hochdruck $\wedge$*[1]<br>*strenger Frost*<br>*Heutige Annahme:*<br>*Inversionswetterl. verantwortl.*<br><br>*I: Wenn sich wärmere*<br>*Luftschicht zwischen*<br>*kältere schiebt.*<br>*L'zirkulation verhindert.* |
| **(70 Wörter)** | **(27 Wörter)** |

1) Wir schlagen das Kürzel $\wedge$ vor für *und* sowie alle Wörter, die eine *Aufzählung* ausdrücken. Stellen Sie solche Wörter zusammen.

## 8
Diskutieren Sie die folgenden Fragen.

Welche Aufgabe(n) hat die Mitschrift eines Textes?
Warum kann nur ein Teil der gesprochenen Worte notiert werden?
Was können Sie zu dem Problem der Abkürzungen sagen?
Welche Schwierigkeiten sehen Sie für ein sinnvolles Notieren?

▷ *AB S. 191–194*

# 17 | *Gesundheit durch Medizin?*

## A. Die Entwicklung eines Medikaments

### Vorlaufphase

**1**
Lesen Sie sich bitte folgende Sachverhalte und Namen mehrmals durch:

Bekannte Schmerzmittel enthalten Acetylsalizylsäure (= ASS).
ASS ist eine chemische Verbindung zwischen Acetylchlorid (ACl) und Salizylsäure (SS). Salizylsäure (SS) wird gewonnen
1. aus der Rinde des Weidenbaums und
2. aus den Blättern des Spierstrauchs (spiraea ulmaria).

die Chemotherapie – Therapie, die mit Hilfe von synthetisch hergestellten Arzneimitteln durchgeführt wird

Gerhardt (Frankreich) – Chemiker

Felix Hoffmann/Heinrich Dreser – Chemiker bei Bayer

Thomas Mann/Henry Miller – Namen von Schriftstellern

Stone – Name eines englischen Geistlichen

der Extrakt – der Auszug

### Hörverstehen

**2**
Hören Sie den Text einmal. Sie haben nach jedem Abschnitt etwas Zeit, die Leitinformation zu formulieren.

1. _____

2. _____

3. _____

4. _____

5. _____

6. _____

**3**
Sie hören die einzelnen Abschnitte noch einmal. Versuchen Sie, wichtige Wörter zu notieren. Rekonstruieren Sie nach jedem Abschnitt den Textinhalt mündlich.

**4**
Die Abschnitte 5 und 6 des Textes könnte man folgendermaßen mitschreiben:

*Abschnitt 5*
*Entscheidende Entdeckung:*      *Gerhardt*
*Reaktion zw. SS ∧ ACl →*      *ASS*

*ASS:* • *verträgl. als SS*
     • *wirksam*
     • *VS[1] Herstellung kompliziert*
*Gerhardt:* ✝ *i. Alter v. 40 J.*

*Abschnitt 6*
*40 J. später suchte Hoffmann n. Heilmittel f. rheumakranken Vater*
*Stieß auf G.'s ASS*
*Erkannte: Verbindg. bedeutsam, weil* • *schmerzdämpfend*
                        • *entzündungshemmend*
                        • *verträgl.*

*Mit Dreser: einfachere Herstellungsverfahren entwickelt*
*Vorschlag: ASS auf den Markt*
*Handelsname: Aspirin*

*A*       *– Azetyl*
*spir*    *– spiraea ulmaria*
*in*      *– f. Arzneim. häufige Endg.*

1) vs = versus; mögliches Kürzel für Wörter, die einen Gegensatz ausdrücken (z. B. aber)

Vergleichen Sie die Mitschrift mit dem Text.

## 5
Überprüfen Sie nun Ihre Notizen. Beachten Sie dabei besonders folgende Gesichtspunkte:

- Sind alle nicht unbedingt notwendigen Wörter beim Notieren ausgelassen?
- Beginnen neue Gedanken (Sätze) mit einer neuen Zeile?
- Sind Wörter, die zu einer Aufzählung gehören, untereinander geschrieben?
- Sind wichtige Wörter sinnvoll abgekürzt? Welche? Wie?

## 6
Welche Absichten verfolgt der Verfasser mit dieser Darstellung der Entwicklung des Aspirins? Begründen Sie Ihre Ansicht.

## 7
Heute gibt es in zunehmender Zahl Menschen, die gegenüber Arzneimitteln skeptisch eingestellt sind. Diskutieren Sie darüber.

## 8
Die pharmazeutische Industrie ist ein wichtiger Teil der chemischen Industrie. Die Bundesrepublik Deutschland ist einer der größten Exporteure pharmazeutischer Erzeugnisse in der Welt.

Kennen Sie Produkte der deutschen Pharmaindustrie, die in Ihren Ländern verkauft werden?
Wie beurteilen die Verbraucher in Ihren Ländern die deutschen Medikamente (z. B. Preis, Qualität)?

Haben Sie selbst gute/schlechte Erfahrungen mit einem deutschen Medikament gemacht? Wenn ja, berichten Sie darüber.

**9**

In der Sprache der Pharmazie und Medizin gibt es eine Vielzahl von Wörtern, die der griechischen, lateinischen, aber auch der arabischen Sprache entnommen sind. Informieren Sie sich in einem Lexikon darüber, worin dies seinen Grund hat; suchen Sie z. B. unter dem Stichwort: „Geschichte der Medizin".

▷ *AB S. 198*

# B.  Orientierung über ein Buch

**1**

Wenn man eine Bibliographie liest, um Material für eine wissenschaftliche Arbeit zu sammeln, muß man oft nur aufgrund des Titels entscheiden, ob das Buch für die Arbeit wichtige Informationen enthalten könnte oder nicht. Die Entscheidung wird dadurch erleichtert, daß die Titel von wissenschaftlicher Fachliteratur zumeist genau und informativ sind und fast als kurze Zusammenfassung des Inhalts angesehen werden können.
Fragen Sie sich deshalb beim Lesen eines Titels:

● Könnte der Text für mich wichtige Informationen enthalten?
● Welche Fragen könnte er beantworten?
● Was könnte ich daraus lernen?

Übrigens: Wer vor der Lektüre bestimmte Fragen an einen Text stellt, liest aktiver und effizienter.

**2**
Übung
Wählen Sie unter den angegebenen Titeln drei aus und stellen Sie zu jedem Titel zwei Fragen, die der Text Ihrer Meinung nach beantworten müßte.

*Vom Nutzen und Schaden der Arzneimittel*

*Krankheit als Konflikt – Studien zur psychosomatischen Medizin*
*Umwelt und Gesundheit – Aspekte einer sozialen Medizin*
*Geschichte der Therapie von den Primitiven bis zum 20. Jahrhundert*
*Vorsicht, Arzt! Krise der modernen Medizin*
*Soziale Faktoren und Krankheiten bei Arbeitnehmern*

**3**

Sicherere Voraussagen über den Inhalt eines Buches sind möglich, wenn man das Buch bereits in der Hand hält und sich einen Gesamtüberblick verschaffen kann. Fragen Sie sich:

● Ist das Buch wichtig für mein Thema?

- Ist das ganze Buch wichtig oder nur ein Teil davon? Welcher?
- Ist das Buch von einem Fachmann geschrieben?
- Ist das Buch veraltet?
- Ist es meinen fachlichen und sprachlichen Vorkenntnissen angemessen? (Ist es sprachlich oder inhaltlich zu schwer?)
- Ist es zu umfangreich?

## 4

Man braucht nicht das ganze Buch zu lesen, um die gerade gestellten Fragen beantworten zu können.

Folgende Teile des Buches können Ihnen bei der Orientierung behilflich sein:

- das Vorwort
- das Inhaltsverzeichnis
- das Namen- und Sachregister
- das Impressum. Es ist meist auf einer der ersten Seiten zu finden und gibt an, wann und wo ein Buch veröffentlicht worden ist, sowie Neuauflagen, Neubearbeitungen etc.
- der Klappentext, ein Text des Verlags auf der Klappe des Schutzumschlags oder auf der Rückseite des Einbands, der mitteilt, worum es in dem Buch geht. Er vermischt vielfach wertende und charakterisierende Elemente, um das Leserinteresse bzw. die Kauflust zu wecken.
- Zitate aus Kritiken, die oft auf der Rückseite des Einbands zu finden sind. Natürlich werden nur positive Kritikerstimmen zitiert.

## 5

Einige dieser Orientierungshilfen sind auf den nächsten Seiten abgedruckt. Es handelt sich um W. Pschyrembels „Klinisches Wörterbuch".

Übung
Beantworten Sie bitte folgende Fragen:

Welche der oben genannten Orientierungshilfen entfallen bei diesem Buch? Warum?

Welche akademischen Titel hat der Autor? Ist seine Qualifikation für sein Werk relevant?

Ist das Buch auf dem neuesten Stand der Wissenschaft?

Wann wurde es veröffentlicht? Wurde es überarbeitet, erweitert oder gekürzt?

Für wen ist das Buch geschrieben?

Gibt es außer im Klappentext Hinweise darauf, daß es sich bei diesem Wörterbuch um ein wichtiges Standardwerk handelt?

Welche der hier genannten Vorzüge hat dieses Buch?

- Alle Artikel sind auf dem allerneuesten Stand.
- Es ist möglichst verständlich und anschaulich geschrieben.
- Es ist auch für Zahnmediziner geschrieben.
- Es enthält viele neue Stichwörter.
- Es erleichtert die Diagnose.
- Es ist für viele Berufsgruppen unentbehrlich.
- Wenn man den ‚Pschyrembel' im Kopf hat, wird man bald Dr. med.

▷ AB S. 199

Kritikerstimmen · Impressum · Vorwort · Klappentext · Titelseite

# W. Pschyrembel
# Klinisches Wörterbuch

## mit klinischen Syndromen und Nomina Anatomica

### 254., neubearbeitete Auflage
### mit 2843 Abbildungen

### Walter de Gruyter · Berlin · New York
### 1982

**Impressum**

Klinisches Wörterbuch
gegründet von Otto Dornblüth

Professor Dr. med. Dr. phil.
Willibald Pschyrembel
Halmstraße 5, D-1000 Berlin 19

CIP-Kurztitelaufnahme der Deutschen Bibliothek

**Pschyrembel, Willibald:**
Klinisches Wörterbuch : mit klin. Syndromen u. no-
mina anatomica / W. Pschyrembel. [Gegr. von Otto
Dornblüth]. - 254., neubearb. Aufl. - Berlin ; New York
: de Gruyter, 1982.
   ISBN 3-11-007187-8
NE : Dornblüth, Otto [Begr.]

© Copyright 1982 by Walter de Gruyter & Co., vormals
G. J. Göschen'sche Verlagshandlung, J. Guttentag, Ver-
lagsbuchhandlung, Georg Reimer, Karl J. Trübner,
Veit & Comp., Berlin 30.

# Text auf dem Einband des „Pschyrembel"

**Klappentext**

Das am weitesten verbreitete klinische Nachschlagewerk erleichtert Diagnose und Differentialdiagnose, erläutert alle wichtigen Kankheitszustände, informiert über Medizin und Grenzgebiete, nennt Wortbedeutung und ist grundlegende Rechtschreibhilfe.

**Kritikerstimmen**

„Wer den ‚Pschyrembel' im Kopf hat, braucht sich um seinen Erfolg nicht zu sorgen: Medizinisches Staatsexamen und die Bestallung zum Arzt hat er in der Tasche, bald schmückt ihn auch der Doktorhut... der weiße Kittel und das richtige Wörterbuch machen den Arzt. In Deutschland ist das, seit Jahrzehnten schon, ‚der Pschyrembel' — mittlerweile eine Institution."

Der Spiegel

„Ärzte, Sprechstundenhilfen, Krankenschwestern, Pfleger, Apotheker, sogar Rechtsanwälte und Richter kennen und brauchen den Pschyrembel."

Sender Freies Berlin

„Ohne Fach-Lexikon kommt in den medizinischen und medizinnahen Berufen (Versicherungsangestellte und Wissenschaftsjournalisten eingeschlossen) heute niemand mehr aus, und Laien schon gar nicht, wenn sie sich über einen medizinischen Sachverhalt informieren wollen oder müssen."

Der Tagesspiegel

„Schon lange gilt der Pschyrembel... allen, die gern informierte, emanzipierte Patienten sein wollen, als aufklärerischer Geheimtip in allen medizinischen Fragen."

Frankfurter Rundschau

ISBN 3-11-007187-8

## Vorwort

Die vorliegende 254. Auflage ist in allen Teilen neu bearbeitet und gegenüber der letzten Auflage stark erweitert worden, eine dringende Notwendigkeit bei dem außerordentlich großen Angebot an neuen Informationen in den letzten Jahren in allen Bereichen der Medizin.

Entsprechend groß ist die Zahl der neu aufgenommenen Stichwörter. Die Vielzahl der neuen Erkenntnisse verlangte ferner eine gründliche Neubearbeitung und Ergänzung der alten Texte.

Die Anzahl der Abbildungen (schematische Zeichnungen, Photos) wurde vermehrt. Ein großer Teil der alten Abbildungen wurde technisch überarbeitet.

Der für diese Erweiterungen erforderliche Platz wurde durch Streichung überholter Begriffe, Verwendung einer kleineren Drucktype und eines größeren Buchformates gewonnen. Die Seitenzahl ist dadurch gegenüber der vorigen Auflage ungefähr gleich geblieben.

Das Klinische Wörterbuch ist in erster Linie für Medizinstudierende und Ärzte bestimmt. Es ist für ihre Ausbildung und Weiterbildung eine seit Jahrzehnten bewährte Hilfe. Besonderer Wert wurde darauf gelegt, die Begriffserklärungen möglichst verständlich und anschaulich zu halten, so daß das Buch auch von medizinisch-technischen Assistenten, Schwestern, Pflegern, Sprechstundenhilfen, Sekretärinnen und darüber hinaus allen medizinischen Hilfsberufen mit Vorteil benutzt werden kann.

Die Bewältigung des großen Zuwachses an neuen Erkenntnissen und Erfahrungen wäre ohne die Mitarbeit zahlreicher Spezialisten der verschiedenen Fachgebiete nicht möglich gewesen (siehe dazu Liste S. XII). Allen alten und neuen Mitarbeitern bin ich zu großem Dank verpflichtet.

Die Erfahrung zeigt, daß bei enzyklopädischen Werken zwischen Redaktionsschluß und endgültigem Erscheinen stets eine geraume Zeit vergeht. Bei dieser Neuauflage kam noch verzögernd hinzu, daß neben den erheblichen inhaltlichen Änderungen erstmalig eine neue Redaktions- und Herstellungstechnik mit einem elektronischen Satz- und Rechenverfahren entwickelt wurde. Es erforderte darüber hinaus viel Zeit, einen großen Teil der über 2800 Abbildungen neu zu zeichnen. Dadurch konnte nicht in allen Bereichen dieser Neuauflage der letzte Wissensstand wiedergegeben werden. Ein Teil der Manuskripte stammt aus den Jahren 1977–78, die letzten Manuskripte wurden 1981 abgeliefert. Wünsche von Autoren, nachträgliche Änderungen oder Erweiterungen an ihren Texten vorzunehmen, konnten leider nicht berücksichtigt werden. Eine Reihe von Änderungen kleineren Umfangs hingegen konnte noch bis kurz vor Erscheinen dieser Auflage eingearbeitet werden. Es gibt somit keinen einheitlichen Redaktionsschluß für das ganze Werk.

Bezüglich der Stichwörter aus dem Gebiet der Zahnheilkunde (Prof. Dr. W. Hoffmann-Axthelm) ist zu beachten, daß sich die Bearbeitung auf die Bedürfnisse des praktischen Arztes beschränkt. Gleiches gilt für das Gebiet der von Herrn Obermedizinalrat Dr. L. Hagedorn bearbeiteten Gesetze für das öffentliche Gesundheitswesen.

Die sprachliche Bearbeitung der Stichwörter lag in den Händen von Herrn Oberstudiendir. i. R. A. Pudelka, dem ich für seine großen Bemühungen herzlich danke.

Besonderen Dank schulde ich meiner langjährigen Mitarbeiterin, Fräulein Bettina Siebert, für ihre unermüdliche Hilfe bei der Bearbeitung dieser Auflage.

Berlin, im Juni 1982                                                                        W. Pschyrembel
Halmstr. 5, 1000 Berlin 19

## 6

Partizipialattribut und Nominalisierung

Vielleicht ist es Ihnen mit dem ‚Pschyrembel' so ergangen: Man sucht alle unbekannten Vokabeln aus dem Wörterbuch und versteht dann an manchen Stellen doch nicht so genau, was der Autor sagen will. Das könnte folgenden Grund haben: Der Text hat zwei grammatische Strukturen, die **typisch für wissenschaftliche Texte** (und nicht ganz leicht) sind, das **Partizipialattribut** und die **Nominalisierung.** Das Partizipialattribut kennen Sie schon aus Lektion 6 A. Die Nominalisierung erklären wir Ihnen gleich.

Übung zum Partizipialattribut

Markieren Sie bitte genau, wo das erweiterte Partizipialattribut beginnt und endet. Formen Sie das Partizipialattribut in einen Relativsatz um.

1. Entsprechend groß ist die Zahl der neu aufgenommenen Stichwörter.
2. Es ist für ihre Ausbildung und Weiterbildung eine seit Jahrzehnten bewährte Hilfe.
3. Gleiches gilt für das Gebiet der von Herrn Obermedizinalrat Dr. L. Hagedorn bearbeiteten Gesetze für das öffentliche Gesundheitswesen.

Nominalisierung

Eine **Nominalisierung** ist die nominalisierte oder **substantivierte Form eines Verbs oder Adjektivs.** *Streichung* ist die Nominalisierung von *streichen* und *Verwendung* die von *verwenden.* Genitivattribute haben die Bedeutung von Satzgliedern, sie sind Subjekt oder Akkusativobjekt.

Übung

Auch die folgenden Sätze werden Sie besser verstehen, wenn Sie die unterstrichenen Teile in Nebensätze umwandeln. Das ist manchmal nicht ganz leicht, aber probieren Sie es! Man kann das z. B. so machen:

Die Vielzahl der neuen Erkenntnisse verlangte ferner eine gründliche Neubearbeitung und Ergänzung der alten Texte.

→ Die Vielzahl der neuen Erkenntnisse verlangte ferner, daß die alten Texte gründlich neubearbeitet und ergänzt wurden.

1. Der erforderliche Platz wurde durch Streichung überholter Begriffe und Verwendung einer kleineren Drucktype gewonnen.

   (Was wird aus *durch*?)

2. Ohne die Mitarbeit zahlreicher Spezialisten wäre die Bewältigung des großen Zuwachses an neuen Erkenntnissen und Erfahrungen nicht möglich gewesen.

   (Sie brauchen ein *es* im Hauptsatz!)

3. Eine Reihe von Änderungen konnte noch kurz vor dem Erscheinen dieser Auflage eingearbeitet werden.

4. Ohne die Mitarbeit zahlreicher Spezialisten der verschiedenen Fachgebiete hätte dieses Buch nicht erscheinen können.

   (Beginnen Sie den Nebensatz mit *wenn* und benutzen Sie den Konjunktiv II der Vergangenheit.)

# C. Verhältnis Arzt – Patient

## Leseverstehen

Selbstbestimmungsrecht. Der Arzt muß seinem Patienten die ganze Wahrheit sagen, damit dieser von seinem Selbstbestimmungsrecht Gebrauch machen
5 kann. Selbstbestimmung, also die Entscheidung darüber, ob eine vorgeschlagene Behandlung stattfinden soll, setzt umfassende Information voraus. Im Rahmen der ärztlichen Aufklärungspflicht
10 wird dem Kranken mitgeteilt, welche Risiken eine Behandlung mit sich bringt und welche Gefahren drohen, falls sie unterbleibt. Das ganze Für und Wider medizinischer Maßnahmen ist mit dem
15 Patienten zu erörtern. Nach Ansicht der höchsten deutschen Gerichte, die sich mehrfach mit diesem Themenkreis befaßt haben, ist es dabei möglich, jedem Kranken „im großen und ganzen klarzu-
20 machen, was mit ihm geschieht". An die ärztliche Aufklärungspflicht werden also strenge Anforderungen gestellt.

*Aus: Das Große ADAC-Gesundheitsbuch. Von Dr. med. Hans Halter. München 1983.*

Erklärung
ADAC = **A**llgemeiner **D**eutscher **A**utomobil-**C**lub

## 1
Wie heißen die beiden wichtigen Begriffe, die im Text definiert werden? Wie lautet die Definition?

## 2
Auf welche Textstellen beziehen sich die unterstrichenen Wörter?

## 3
Zweimal „also" (Z. 5 und Z. 21)
Wo heißt „also" *demnach, somit*? Wo ist es Synonym von *das heißt*?

## Leseverstehen

Freitag, 10. September

Schon um vier Uhr früh Thermometer. Heut bin ich ruhig und ohne erhöhte Temperatur. Neuerlich Blutproben, immer wieder Blutproben. Um sieben Uhr die erste Visite der Stationsärztin, um acht die zweite Visite, acht Ärzte, sechs Männer, zwei Frauen und zwei Schwestern. Beängstigend! Sie schauen nur auf die Tabellen am Fußende. Und der Mensch interessiert sie nicht? Was ist das für eine Person, die hier liegt. Aber sie interessiert nur der Tumor.

Mittwoch, 22. September

Diese Nächte, diese Angst und mein Grübeln über die Ärzte, ihre Unsicherheit, ihr Tappen im dunkeln. Vielleicht müssen sie die Kranken belügen, nicht jeder erträgt die Wahrheit. Aber dann sollten sie sich zusammensetzen und sich darüber einigen, *was* sie sagen. So erfährt der Patient, der beobachtet und nachdenkt und Fragen stellt, bohrende Fragen, erfährt er nur ein Mischmasch von Andeutungen, halben Lügen und Widersprüchen, aus denen die Hilflosigkeit und oft auch die menschliche Unreife der Ärzte spricht. Und dann ist der Kranke verunsichert und versinkt in Angst. Angst, hab ich einmal gelesen, kommt aus Nichtwissen. Gewiß, Angst kann auch aus Wissen kommen. Aber wann und was ein Kranker wissen soll, das müßten die Ärzte sorgfältig bestimmen und verantworten können. Aber sie interessiert nur der Tumor, und das ist niederschmetternd.

*Aus: Maxie Wander: Tagebücher und Briefe. Berlin 1979.*

# Hörverstehen

Zum Thema *Westliche Kultur und Dritte Welt* hören Sie Ausführungen eines kanadischen Soziologen.

## 4

Bevor Sie einen Text hören, bekommen Sie öfter eine kurze Inhaltsangabe *(Handout)* zum Lesen. Ein *Handout* hilft Ihnen, den Text besser zu verstehen, weil es die Leitinformationen eines Vortrages enthält.

## 5

Lesen Sie vor jedem Abschnitt die kurze Inhaltsangabe auf der linken Seite. Hören Sie dann den Text und schreiben Sie auf die rechte Seite in Stichworten die Informationen, die Sie noch zusätzlich verstanden haben. Referieren Sie diese in Sätzen nach jedem Abschnitt.

| Inhaltsangabe | Notizen |
|---|---|
| **Abschnitt 1**<br><br>Nach dem Ende der Kolonialzeit war man allgemein der Überzeugung, daß sich die jungen Staaten Asiens und Afrikas nach europäischem Vorbild entwickeln müßten. | |
| **Abschnitt 2**<br><br>Dieser anfängliche Optimismus ist heute einer großen Skepsis gewichen. Das Ziel einer Modernisierung der jungen Staaten nach westeuropäischem Vorbild ist sehr zweifelhaft geworden. Eine Übernahme der europäischen Wirtschaftsordnung und Technik wird ganz oder teilweise abgelehnt. | |
| **Abschnitt 3**<br><br>Der Text geht auf drei Stufen bzw. Formen der Ablehnung näher ein:<br>1. Die Forderung nach einer eigenen Technologie (Man will auf eine einheimische Technologie zurückgreifen, die z. B. in China und Indien vor der Kolonialzeit höher entwickelt war als die europäische).<br>2. Die religiös begründete Ablehnung von Produktionswachstum durch die Buddhisten.<br>3. Die radikale Ablehnung des Westens (Beispiel: Gandhi). | |

**6**

Hören Sie nun die ersten Abschnitte des Textes ein zweites Mal. Lesen Sie dabei die untenstehenden Notizen mit, in denen die wichtigen Informationen festgehalten sind. Rekonstruieren Sie den Text nach jedem Abschnitt auf der Basis der Notizen.

Abschnitt 1

| | |
|---|---|
| Nach 2. Weltkrieg: | Kolonien in Afrika ∧ Asien unabhängig |
| Galt als sicher: | Notwendigkeit d. Industrialisierg. in kurzer Zeit |
| Technik, finanz. Unterstützg. Annahme d. Demokratie } | → Starthilfe f. E'länder |

Abschnitt 2

| | |
|---|---|
| Heute: | Norden wirtschaftl. Schwierigk., Zweifel, ob dauernd. Wachstum möglich |
| Dritte Welt: | N. kein Vorbild: Individualismus, Unbrüderlichkeit i. wirtschaftl. Kampf, Mangel an religiös./familiären Bindungen. → stärker werd. Ablehnung |

**7**

Sammeln Sie noch einmal alle Argumente, die gegen eine Übernahme des europäischen Modells durch die Entwicklungsländer vorgebracht werden. Nehmen Sie dafür u. U. den abgedruckten Text zu Hilfe.

Sind diese Argumente alle „haltbar" – gegen welche könnte man Einwände erheben?
Welche Aspekte sind in der Argumentation des Textes nicht berücksichtigt?
Können Sie für oder gegen die Argumentation des Textes noch Beispiele nennen?

**8**

Überlegen Sie nun in mehreren Gruppen:

Tragen Sie Ihre Ergebnisse vor.
▷ *AB S. 210, 211*

# C. Dumme oder boshafte Kuh?

## Vorlaufphase/Leseverstehen

---

Paul Alverdes

---

Namensmißbrauch

---

Ein Esel traf auf der Straße ein weinendes Schwein. »Warum weinst du?« fragte teilnehmend der Esel.

»Wie soll ich nicht weinen«, antwortete das Schwein, »wenn die Menschen schimpfen, so brauchen sie fortwährend meinen Namen. Hat irgend jemand etwas Schlechtes getan, so sagt man: ›Er ist ein Schwein.‹ Hat jemand einen betrogen, so sagt man: ›Er ist ein Schwein.‹ Ist irgendwo Schmutz und Unordnung, so sagt man: ›Das ist eine Schweinerei.‹« Der Esel überlegte lange und sagte mitfühlend: »Ja, das ist wirklich eine Schweinerei!«

**1**

Werden in Ihrem Heimatland auch Tiernamen zum Schimpfen mißbraucht? Wenn ja, welche? Was bedeuten sie?

**2**

Aus welchen anderen Bereichen stammen Schimpfwörter, die man bei Ihnen benutzt?

**3**

Sehen Sie einen Zusammenhang zwischen der Art der Schimpfwörter und dem Kulturkreis, in dem sie gebraucht werden?

**4**

Sie sollen den Text kursorisch lesen, d. h. nur auf die Hauptinformationen achten.

# Dumme oder boshafte Kuh?

## Die Wissenschaft vom Schimpfen / Von Hans Daiber

»Alle Zähne sollen dir ausfallen, bis auf einen. Damit du Zahnschmerzen haben kannst!« Dr. Reinhold Aman zitiert dieses Diktum gern, er zieht witzige Verfluchungen vor. Kümmern muß und will er sich um alle in allen Zeiten und Zonen. Aman ist der erste und einzige Maledictologe der Welt. Die »Maledictologie« steht noch nicht im Meyer, und auch im Brockhaus nicht. Es ist die Wissenschaft vom Schimpfen.

Von den etwa zehntausend Sprachen und Hauptdialekten, die es gibt, hat er bisher zweihundert untersucht. Dabei ist er auf eine weltumfassende Grobeinteilung gekommen. In katholischen Ländern überwiegen die blasphemischen Beschimpfungen (»Du Kruzifixkerl!«), in protestantischen die sexuellen und exkrementalen (»Scheißkerl«), im »Rest der Welt« – damit meint er Asien, Afrika und die Südsee – dominieren die Beschimpfungen der Familie. Das bedeutet: es wird immer das am meisten Tabuisierte zum Fluchen und Verfluchen benutzt. Es fiel Aman auf, daß die nordamerikanischen Indianer früher die Sippenbeschimpfung vorzogen. Darin sieht er einen sprachlichen Beweis für die Ureinwanderung aus Asien über die polare Landbrücke. Die heutigen Indianer sind so amerikanisiert, daß sie wie die immer noch als prüde geltenden »WASPs« schimpfen, die White Anglo-Saxon Protestants.

Der deutschen Schimpfkraft weist Aman gute Mittelklasse zu.

Er ist Niederbayer, sein »bayrisch-österreichisches Schimpfwörterbuch« mit einem in die Maledictologie gut einführenden Anhang ist als Goldmann-Taschenbuch (Nr. 26 523) im Handel. Unübertroffen an Gemeinheit seien die Schimpfworte der Ungarn und Rumänen, denn in ihrem Übergangsgebiet träfen lateinische Katholizität und slawische Kultur zusammen, denen das jeweils Vulgärste entnommen wurde. Besonders interessant seien die Ostjuden. Erstens weil sie ebenfalls einer Mischkultur entstammen (germanisch-slawisch-hebräisch-aramäisch), zweitens weil die Ohnmacht gegenüber ständiger Unterdrückung Intellektualität und verbale Aggression gefördert habe. Die typisch ostjüdische Verfluchung sei auf Entwaffnung durch scheinbare Freundlichkeit aus (»Du sollst berühmt werden...«), um dann um so überraschender zuschlagen zu können: »...weil sie eine Krankheit nach dir nennen«. Oder: »Drei Schiffsladungen voll Gold sollst du haben – aber das soll nicht reichen, um deine Arztrechnungen zu bezahlen.« [...]

Schimpfen sei gesund, sagt Aman, denn wer seinen Ärger in sich hineinfresse, stehe wie ein Dampfkessel unter Überdruck. Vom Magengeschwür über Herzbeschwerden bis zur Neurose verursache gestauter Ärger viele Sorten von Krankheit. Aber was dem Schimpfenden nutzt, schadet dem Beschimpften. Aman weiß von Beschimpften, die sich umbrachten.

Soll man also oder soll man nicht? Unbedenklich sei der Angriff auf veränderliches Fehlverhalten wie schlechtes Benehmen oder provozierende Kleidung, meint Aman. (Offenbar denkt er konservativ.) Verwerflich sei Verspottung des Irreparablen, zum Beispiel körperlicher Verunstaltungen.

Beschimpft werde alles, was nicht »normal« ist. Und normal bin immer ich! Aman rasselte eine Unheilskette der Beschimpfungen herunter: die Amerikaner beschimpfen die Europäer, die Franzosen die Deutschen, die Preußen die Bayern, die Oberbayern die Niederbayern, die Armen die Reichen, die Gebildeten die Ungebildeten, die Bauern die Städter, die Frauen die Männer... Er hielt inne und meinte dann: »Mann und Frau, das sind Normabweichungen, die zusammenleben müssen. Deshalb gibt's ja dauernd Krach in der Ehe. Man lebt mit einer anomalen Person zusammen.« Die Weißen sagen: Neger stinken. Aber in Ghana gibt's die Redensart: »Du stinkst wie ein Weißer aus der Achselhöhle.« In England gebe es 40 000 Adjektive für Abweichungen von der moralischen Norm. Im Deutschen sei die Berufsschelte häufiger als in allen anderen Sprachen. Allein für Lehrer gebe es bei uns etwa vierzig Beschimpfungen. »Es werden immer die autoritären Berufe angegriffen: Pfarrer, Polizist, Lehrer.«

Hund, Affe, Esel, Ochse, Kuh und vor allem das Schwein müssen weltweit zum Schimpfen herhal-

▷

kels. In welchen Fällen setzt der Verfasser den Null-Artikel/den unbestimmten Artikel/den bestimmten Artikel?
– Beschreiben Sie den Satzbau.
– Analysieren Sie den 1. Satz des zweiten Textes, und vergleichen Sie ihn mit dem 1. Abschnitt von Text I.

Zu Text I, 2. Abschnitt/Text II, Sätze 2 und 3
– Der Abschnitt besteht aus zwei Teilen. Welche Aufgabe hat der zweite Teil?
– Vergleichen Sie die Beispiele von Abschnitt 2 mit den in Text II, Satz 2 gebrauchten Beispielen. Warum sind sie so unterschiedlich gewählt?
– Wie heißt die Subjektgruppe in Text II, Satz 2? Analysieren Sie diese.

– Wie ist *danach* zu interpretieren?
– In Text II, Satz 3 wird das Verb *vorgeben* gebraucht. Welcher Ausdruck in Text I, Abschnitt 2 entspricht *nicht vorgeben*?

Zu Text I, 3. Abschnitt/Text II, Satz 4
– Suchen Sie nun selbständig wichtige Unterschiede und formulieren Sie diese.

**5**
Text II könnte man als fachsprachlichen Text bezeichnen. Gehen Sie von Ihren Ergebnissen bei der Lösung der oben gestellten Einzelaufgaben aus und versuchen Sie, die Sprache eines solchen Textes zu charakterisieren.

# B. Die Wärmepumpe

### Vorlaufphase

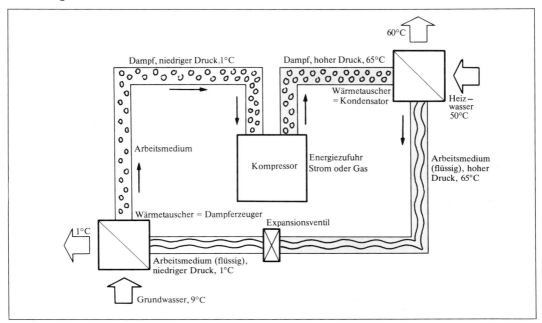

**1**

Welche Funktion hat eine Wärmepumpe?
Orientieren Sie sich mit Hilfe eines Lexikons.

**2**

Auf S. 207 haben wir Ihnen das Prinzip
einer Wärmepumpe mit Hilfe eines Schemas vorgestellt.

**3**

Dieses Schema enthält mehrere Fachwörter, z. B.

*das Arbeitsmedium/das Arbeitsmittel:* ein
Mittel, das für die Arbeit einer Maschine
eingesetzt wird; hier: eine chemische Verbindung, die – im Unterschied zu Wasser
– bereits bei 1° C verdampft bzw. kondensiert.

Klären Sie nun in Gruppenarbeit weitere
Begriffe:

*der Dampferzeuger – der Kondensator –
der Wärmetauscher – der Kompressor –
das Expansionsventil.*

## Hörverstehen

**4**

Hören Sie den ersten Teil des Textes einmal oder zweimal. Welche Hauptinformationen enthält er?

**5**

Hören Sie den zweiten Teil, der – mit
Hilfe des Schemas auf Seite 207 – das
Prinzip einer Wärmepumpe darstellt. Betrachten Sie während des Vortrags das beschriftete Schema genau. Es hilft Ihnen,
die in der Wärmepumpe vorgehenden Arbeitsprozesse zu verstehen.

**6**

Hören Sie den Vortrag noch einmal. Tragen Sie in die nichtbeschriftete Skizze auf
Seite 209 Fachwörter ein bzw. Pfeile, welche die Richtung des Arbeitsvorgangs bezeichnen.

**7**

Stellen Sie – mit Hilfe der Skizze – die Prozesse, die in einer Wärmepumpe ablaufen, schriftlich dar. Verwenden Sie dabei z. B. folgende Verben: pumpen in + Akk. / (ein)leiten in + Akk. / leiten zu / abgeben an + Akk. / strömen in + Akk., durch

▷ *AB S. 216–220*

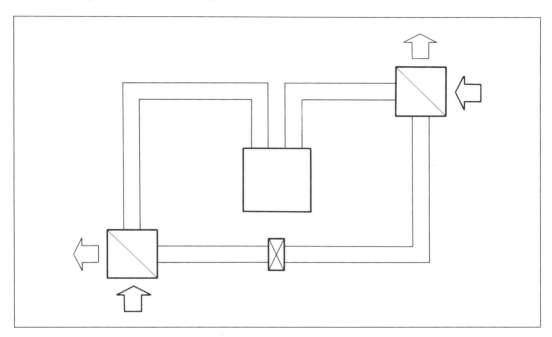

# Lektionen 20/21

## Themenbereich
### Bildungssysteme

# 20 | Ausbildung

## A. Bertolt Brecht: „Ich habe gehört, ihr wollt nichts lernen"

### Leseverstehen

> **»Ich habe gehört,
> ihr wollt nichts lernen«**
>
> Ich habe gehört, ihr wollt nichts lernen.
> Daraus entnehme ich: ihr seid Millionäre.
> Eure Zukunft ist gesichert – sie liegt
> Vor euch im Licht. Eure Eltern
> Haben dafür gesorgt, daß eure Füße
> An keinen Stein stoßen. Da mußt du
> Nichts lernen. So wie du bist
> Kannst du bleiben.
>
> Sollte es dann noch Schwierigkeiten geben, /
>                   da doch die Zeiten,
> Wie ich gehört habe, unsicher sind.
> Hast du deine Führer, die dir genau sagen,
> Was du zu machen hast,
> Damit es euch gut geht.
> Sie haben nachgelesen bei denen,
> Welche die Wahrheiten wissen,
> Die für alle Zeiten Gültigkeit haben
> Und die Rezepte, die immer helfen.
>
> Wo so viele für dich sind,
> Brauchst du keinen Finger zu rühren.
> Freilich, wenn es anders wäre,
> Müßtest du lernen.
>
> Bertolt Brecht

**1**
Wen spricht der Autor an?

**2**
Was möchte er erreichen?

**3**
Mit welchen Mitteln versucht er das?

**4**
Wovon ist in der ersten Strophe die Rede?
Was ist mit den Sprachbildern *sie liegt/Vor
euch im Licht* und . . ., *daß eure Füße/An
keinen Stein stoßen* gemeint?

**5**
Wovon ist in der zweiten Strophe die Re-
de? Was ist mit *Führer* (Z. 11) gemeint?
Was ist richtig?

- [ ] Die zweite Strophe setzt die Argu-
      mentation der ersten fort.
- [ ] Sie begründet die Aussagen der er-
      sten Strophe.
- [ ] Sie enthält auch Widersprüche zur er-
      sten Strophe.

**6**
Die dritte Strophe beginnt mit *Wo so viele
für dich sind*. Heißt das:

- [ ] Da so viele für dich sind;
- [ ] Obwohl so viele für dich sind;
- [ ] Wenn so viele für dich sind?

Fassen die ersten beiden Zeilen der dritten Strophe die ersten beiden Strophen zusammen oder stehen sie im Gegensatz zu ihnen?

Enthalten die beiden letzten Zeilen eine Schlußfolgerung oder eine Einschränkung, die das vorher Gesagte auf den Kopf stellt? Beschreibt der Konjunktiv II hier einen realen oder irrealen Sachverhalt?

**7**
Zur Diskussion
Ist Ironie ein gutes Mittel, um jemanden zum Nachdenken zu bringen?
▷ *AB S. 222*

## B. Die Peanuts

**1**
Welcher Text gehört in welche Sprechblase?

Numerieren Sie die Sätze! (Die Größe der Sprechblase ist eine Hilfe)

– Ein neues Schuljahr beginnt und das, was ich *Die Leidenschaft des Lernens* nennen möchte.
– Ich hab's, Marcie . . .
– Alles ist wie immer!

– Ich meine, ist es nicht das, was im Grunde das Leben ausmacht?
– Das alte Pult . . . Kreidestaub in der Luft . . .
– Ja, Marcie, so ist es!
– Nicht schlecht . . . *Die Leidenschaft des Lernens* hat immerhin 14 Sekunden gedauert!
– Es ist ein Abenteuer, das jeder erleben kann . . .

**2**
Erfinden Sie Äußerungen, die einen neuen Text ergeben.

# C. Das Schulsystem der Bundesrepublik Deutschland

## Vorlaufphase

### 1

Sammeln und notieren Sie alles, was Sie über das Schulsystem der Bundesrepublik Deutschland wissen.

## Leseverstehen

### 2

Lesen Sie immer kritisch. Nicht alles, was Sie in einem Buch gedruckt finden, ist richtig. Korrigieren Sie bitte mit Hilfe des danebenstehenden Diagramms „Bildungswege in der Bundesrepublik Deutschland" die falschen Angaben des Textes.

### So ein Schulsystem!

Im Alter von sechs Monaten kommen die Kinder in die Hochschule.
Sie umfaßt im allgemeinen drei Jahre.
Die meisten Kinder gehen anschließend auf die Hauptschule. Wer sie mit 15 Jahren verläßt, tritt meist in eine Berufsausbildung ein und besucht daneben bis zum 18. Lebensjahr ein
5 Gymnasium. Der erfolgreiche Abschluß der Hauptschule öffnet den Weg zu vielen Ausbildungsberufen in Handwerk und Industrie.
Die Realschule umfaßt in der Regel fünf Jahre – von der 5. bis zur 9. Klasse; sie steht zwischen Hochschule und Gymnasium. Der Realschulabschluß berechtigt zum Besuch einer Fachschule oder Universität; er gilt als Voraussetzung für eine mittlere Laufbahn in Wirtschaft und
10 Verwaltung.
Das dreizehnjährige Gymnasium (1. bis 13. Schuljahrgang) ist die traditionelle höhere Schule in Deutschland. In der reformierten Oberstufe (6. bis 9. Schuljahrgang) hat ein Kurssystem die herkömmlichen Klassen abgelöst. In den Kursen sollen sich die Schüler in der Hauptsache mit den Fächern beschäftigen, die sie besonders interessieren. Dadurch soll ihnen der Übergang zu
15 den Grundschulen erleichtert werden.
Das fünfgliedrige Schulsystem ist häufig kritisiert worden, weil die Kinder sich zu früh für Hauptschule, Realschule oder Gymnasium entscheiden müßten. Abhilfe sollen hier die Gesamtschule und die Orientierungs- oder Förderstufe schaffen. Die Gesamtschule faßt die fünf bisher getrennten Schulformen zusammen und betreut die Schüler in der Regel von der 1. bis
20 zur 4. Klasse. Der Schüler kann je nach seinen Fähigkeiten Kurse mit höheren oder einfacheren Anforderungen belegen. Orientierungsstufen sollen im 3. und 4. Schuljahr auf die richtige Schulwahl im 5. Schuljahr vorbereiten.
Wer aus irgendeinem Grund Ausbildungschancen versäumt hat, kann sie auf dem „Zweiten Bildungsweg" nachholen. Abendgymnasien geben Berufstätigen die Möglichkeit, sich in drei
25 bis sechs Jahren auf die Reifeprüfung vorzubereiten. In gleicher Weise kann man in Abendschulen den Hochschul- oder Realschulabschluß erreichen.

Bildungswege in der Bundesrepublik Deutschland

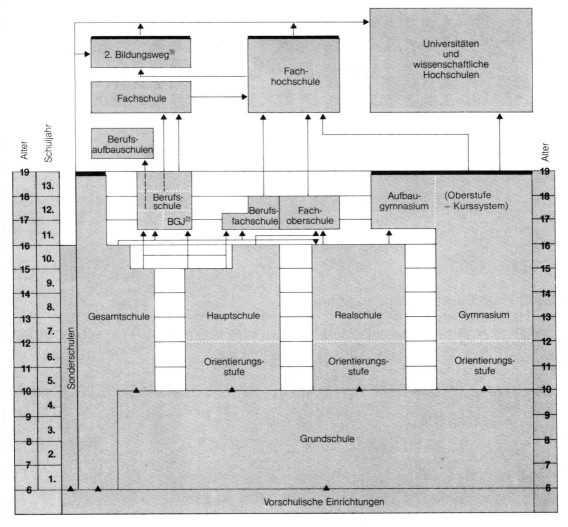

¹⁾ Die Größenverhältnisse entsprechen nicht der prozentualen Verteilung der Schüler und oberhalb der
   Alters- bzw. Schuljahrskala auch nicht der Dauer der Ausbildungsgänge.
²⁾ Berufsbildungsjahr, Abschluß mit Fachschulreife.
³⁾ Zweiter Bildungsweg: Abendrealschulen, Abendgymnasien, Kollegs (Institute zur Erlangung der
   Hochschulreife).

Korrigieren Sie nun:
Im Alter von sechs Jahren kommen die Kinder in ...

**3**

Halten Sie ein Kurzreferat über das Schulsystem Ihres Heimatlandes. Fertigen Sie dazu nach Möglichkeit ein Diagramm über die verschiedenen Bildungswege an (Tafel, Packpapier, Folie). Vergleichen Sie den Aufbau des Schulsystems in Ihrem Heimatland mit dem der Bundesrepublik Deutschland.

## D. Führungskräfte der 90er Jahre

### Vorlaufphase

**1**

Welche Anforderungen würden Sie als Vorstandsvorsitzender einer großen Firma an Ihre Führungskräfte stellen? Sammeln und notieren Sie die Vorstellungen der Kursteilnehmer.

### Leseverstehen

**2**

Sie sollen den Text kursorisch lesen. Notieren Sie die Hauptinformationen und achten Sie auf den Textaufbau.

# Führungskräfte der 90er Jahre sollten begabte Koordinatoren und Kommunikatoren sein

Kommunikationsfähigkeit ist nach Ansicht von Professor Lutz von Rosenstiel eine der wesentlichen Qualifikationen, die den Erfolg von Führungskräften in den
5 neunziger Jahren bestimmen werden. Anläßlich einer Veranstaltung der IHK Düsseldorf erläuterte von Rosenstiel, daß die Anforderungen an Führungskräfte sich in den vergangenen Jahren enorm verändert
10 hätten.

So ständen Führungskräfte heute fachlich immer qualifizierteren Mitarbeitern gegenüber, denen es im Führungsverhalten gerecht zu werden gelte: „Aufgabe von
15 Vorgesetzten ist nicht mehr, über Befehl und Auftrag zu führen, sondern Spezialisten zu koordinieren."

Es gelte, kompetente Mitarbeiter an Entscheidungsprozessen mitwirken zu lassen, weil sie dadurch einerseits ihre 20 Qualifikation weiter steigerten und andererseits motiviert würden: „Führungskräfte müssen akzeptieren können, daß sie in ihrer Gruppe Personen haben, die mehr wissen als sie selbst. Es ist für viele spezia- 25 lisierte Mitarbeiter ein tragisches Ereignis, daß sie einen Vorgesetzten haben, der das Wissen von gestern und die Macht von heute hat. Man muß also auch Führung durch die Geführten in Fachfragen zulas- 30 sen."

Führungserfolg hänge aber auch davon ab, daß die Bedeutung des Wertewandels erkannt werde, der bei der Generation der heutigen Nachwuchskräfte zu beobachten sei. Von Rosenstiel: „Während Eltern in ihrer Erziehung früher auf den Gehorsam ihrer Kinder größten Wert legten, ist heute Selbständigkeit das wichtigste Erziehungsziel. Diese Veränderung hat großen Einfluß auf die Führung der Kinder, wenn sie Mitarbeiter werden."

Darüber hinaus werde von der jungen Generation Arbeit nicht mehr ausschließlich als Pflicht gesehen, sondern ganz wesentlich als Chance zur Selbstverwirklichung. Außerdem steige der subjektive Wert der Freizeit und nehme die Betonung des eigenen, hedonistischen Lebensgenusses zu. Die Bereitschaft, zuzupacken, sei dann gegeben, wenn auch andere Bereiche des Lebens genossen werden könnten.

Teil des Wertewandels sei auch die hohe Wertschätzung der eigenen Gesundheit und einer ungefährdeten und bewahrten Natur. Gerade die Umweltfreundlichkeit ökonomischen Handelns sei der jungen Generation wichtig. Zunehmend würden Unternehmen und Führungskräfte in ihren Entscheidungen an diesem Maßstab gemessen.

Eine weitere Herausforderung sieht von Rosenstiel darin, daß die deutsche Wirtschaft mit ihrem großen Bedarf an qualifiziertem Personal ihren Anteil an Frauen in Führungspositionen steigern müsse. Problematisch dabei sei, daß vielen Frauen trotz vorhandener Qualifikation noch die Selbstverständlichkeit fehle, sich als potentielle Führungskräfte zu begreifen. Andererseits aber fiele es auch manchem Top-Manager noch schwer, eine Frau als qualifizierte und gleichberechtigte Kollegin zu akzeptieren.

Große Anforderungen an Führungskräfte stellt nach Auffassung des Münchener Organisationspsychologen auch die Internationalisierung der Unternehmenstätigkeit: „Es kommen zunehmend Kontakte zu Menschen aus anderen Kulturen mit anderen Sprachen zustande. Das heißt, daß Sensibilität, Toleranz und Verständnis entwickelt werden müssen. Das Beherrschen von Sprachen und das Kennen der Kulturen wird eine wachsende Qualifikation sein."

Neue Aufgaben stellen sich nach von Rosenstiels Erkenntnis auch durch die Elektronisierung der Kommunikation: „Führung durch Personen ist im wesentlichen Kommunikation. Wenn Kommunikation unterstützt wird durch elektronische Medien, dann ist das eine Hilfe. Wenn sie aber ersetzt wird durch elektronische Medien, dann liegt dort eine Gefahr, denn menschliche Kommunikation ist nicht nur Übermittlung von Sachaussagen, sondern sie transportiert zwischenmenschliche Bindung."

Da Führung ganz allgemein Kommunikation sei, gelte es, sich auf dem Gebiet der Kommunikation zu qualifizieren: "Was gesagt worden ist, ist noch lange nicht gehört worden, was gehört worden ist, ist noch lange nicht verstanden worden, was verstanden worden ist, damit ist der Partner noch lange nicht einverstanden, wenn er einverstanden ist, hat er es noch nicht umgesetzt und wenn er es einmal angewendet hat, hat er es noch lange nicht beibehalten."                                        ae

*Lutz von Rosenstiel, in: KARRIERE. Handelsblatt und Wirtschaftswoche.*

**3**

Zur Verdeutlichung des Textaufbaus wird manchmal ein Schema entworfen, das die Hauptinformationen und ihre Beziehungen untereinander in Form eines sogenannten Flußdiagramms darstellt.

Bitte vervollständigen Sie das folgende Flußdiagramm.

Halten Sie auf der Basis dieses Diagramms einen Vortrag über das Thema „Führungskräfte der 90er Jahre".

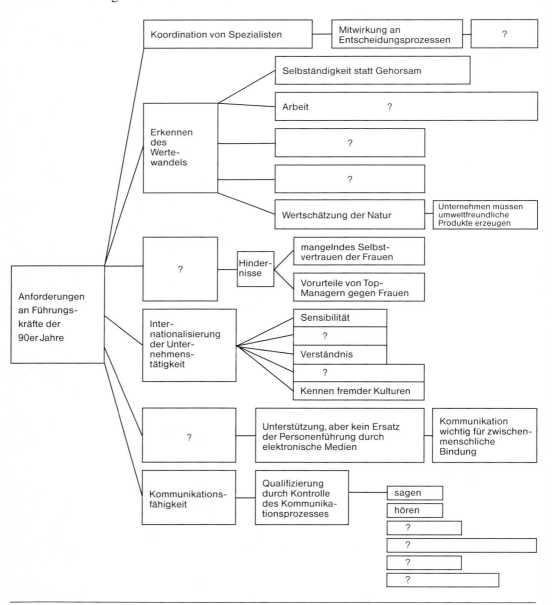

**4**

Strukturwörter

Eine mehr oder minder abstrakte Behauptung verlangt eine Konkretisierung durch Beispiele. Das Wort *so* (Z. 11) gibt einen Hinweis darauf, daß ein oder mehrere Beispiele zu erwarten sind.

Strukturwörter wie *aber auch* (Z. 32) oder *darüber hinaus* (Z. 43) geben ein Signal dafür, daß ein weiteres Beispiel für die zuvor aufgestellte These folgt.

Suchen Sie weitere Strukturwörter (z. B. in den Zeilen 47 und 53).

**5**

Übung

Setzen Sie alle Zitate in direkter Rede in die indirekte Rede.

Wie würde der Text auf den Leser wirken, wenn der Journalist nur die indirekte Rede benutzt hätte?

# E. Interview mit einer Bildungspolitikerin

## Vorlaufphase

**1**

Im folgenden Interview werden folgende Probleme besprochen:
- Unterschiedlichkeit der Schulsysteme in den Bundesländern
- Vor- und Nachteile der Gesamtschule
- Das Problem der Schulzeitverkürzung

Um das Interview zu verstehen, brauchen Sie Kenntnisse über das deutsche Schulsystem. Schauen Sie deshalb bitte noch einmal die Skizze auf S. 215 an.

## Hörverstehen

**2**

Hören Sie den Text. Versuchen Sie, beim ersten Hören die Fragen genauer zu erfassen. Beachten Sie, daß Ihnen das Thema der Fragen (gleichzeitig die Gliederung des Interviews) unter Punkt 1 vorgegeben ist.

Beim zweiten Hören konzentrieren Sie sich bitte auf die Antworten. Machen Sie Notizen.

**3**

Geben Sie den Inhalt des Interviews wieder.

**4**

Sind die Antworten der Bildungspolitikerin rein informativer Art?

**5**

An welchen Stellen sind Sie mit ihrer Beurteilung nicht einverstanden?

**6**

Nehmen Sie an, Sie würden von einem Reporter in der Bundesrepublik Deutschland, vielleicht auch in Ihrem Heimatland, über das Schulsystem Ihres Landes interviewt. Welche Vorteile und Mängel würden Sie besonders betonen?

# 21 | *Hochschule*

## A. Zwei Universitäten

*Universität Münster*

*Universität Leipzig*

**1**
An welcher Universität möchten Sie lieber studieren? Warum?

**2**
Beschreiben Sie, wenn möglich, ein Universitätsgebäude in Ihrem Heimatland.
▷ *AB S. 228*

# B. Studenten verlieren durch schlechte Planung viel Zeit

## Vorlaufphase

**1**

Halten Sie es für sinnvoll, Ihre Ausbildung (vielleicht Ihr Studium) möglichst schnell abzuschließen?

## Leseverstehen

### Hohes Examensalter westdeutscher Studenten hat Ursachen im Schulsystem, bei Professoren und Studierenden

## Studenten verlieren durch schlechte Planung viel Zeit

Deutsche Hochschulabsolventen sind nach einem durchschnittlich sieben Jahre dauernden Studium mit knapp 28 Jahren fast fünf Jahre älter als Jungakademiker in
5 Großbritannien und Japan. Würden etwa Betriebswirte ihr Pensum in der Regelstudienzeit von neun Semestern statt in zwölf bewältigen, könnte ein Drittel mehr an jungen Leuten dieses Fach wählen: Keine
10 Kleinigkeit bei einem hoffnungslos überbuchten Studiengang.

Weshalb bildet die Bundesrepublik Deutschland das Schlußlicht unter den Industrienationen, was das Alter betrifft, in
15 dem Studierende ihren ersten Universitätsabschluß erzielen?

Bis zu zwei Jahre verlieren sie gegenüber Gleichaltrigen anderer Nationen schon vor dem Abitur. Während man in Frank-
20 reich, Großbritannien und in den Vereinigten Staaten die Hochschulreife mit 18 erlangt, wird diese Hürde in den alten Bundesländern erst mit 20 genommen. Dies liegt in erster Linie an gewissen Be-
25 sonderheiten unseres Bildungssystems. So ist beispielsweise die Einschulung erst mit sechs Jahren möglich, wobei dann mindestens noch neun Monate vergehen, ehe der Tag kommt. Weiterhin dauert es
30 nur bei Wunderkindern weniger als 13 Jahre, bis das Zeugnis der Reife ausgestellt wird. Ein beträchtlicher Prozentsatz muß jedoch mindestens ein Schuljahr wieder-

holen. Mancher erreicht sein Ziel auch auf dem Zweiten Bildungsweg, was auch eine 35 Überschreitung der Normzeit zur Folge hat.

Erstaunlicherweise strebt sodann kaum ein Bildungsbeflissener unverzüglich nach der Höheren Schule an die Universität. 40 Die meisten lassen sich Zeit, Schweden sogar 3,9, Niederländer immerhin noch 3,1 Jahre. Hier liegen wir mit knapp elf Monaten nicht einmal schlecht im Rennen. Da gibt es diejenigen, die zunächst 45 ihrer Wehrpflicht nachkommen, eine Zeitlang durch ferne Länder bummeln oder einen Beruf erlernen. Auf diese Weise wird ein aus der Bundeswehr entlassener späterer Kaufmannsgehilfe leicht 23, ehe es für 50 ihn wirklich losgeht.

Zu verschieden sind Bildungssysteme und -bedingungen, als daß man über Grenzen hinweg Abschlüsse und Studienzeiten sinnvoll miteinander vergleichen könnte. 55 Ein amerikanisches High-School-Diplom zu erwerben, erscheint, gemessen an dem, was in einigen europäischen Staaten verlangt wird, als Kinderspiel. Entsprechend einfach geht es dann im College oder an 60 der Universität zu, so daß der erworbene „Bachelor" bestenfalls dem Vordiplom bei uns entspricht.

Ebensowenig ist das britische Modell als Maßstab geeignet. Dort erlangt man be- 65 reits mit 22,8 Jahren einen Abschluß, der

▷

allerdings zumeist nicht zur Ausübung eines Berufes befähigt. Dazu bedarf es noch eines Postgraduiertenstudiums, das gut
70 und gerne drei weitere Jahre dauern kann. Damit schrumpft dann der Unterschied zwischen beiden Ländern erheblich zusammen.

Unabhängig von der Aussagekraft internationaler Vergleiche stellt sich aber den-
75 noch die Frage, ob schneller studiert werden könnte. Zweifellos erwiese sich dies in der Betriebswirtschaftslehre als möglich, sofern die Lehrenden wirklich zu Re-
80 formen bereit und die Lernenden ernsthaft daran interessiert wären. Beides erscheint aber nicht gewährleistet.

Schon Studien- und Prüfungsordnungen sehen häufig ein überzogenes Pflichtpro-
85 gramm vor. Was dort vorgeschrieben ist, läßt sich in der vorgesehenen Zeit überhaupt nicht schaffen. Generell gilt: Je größer die Fakultät, desto stärker weiten sich Lehrangebot und Prüfungsstoff aus.
90 Die Situation wird zusätzlich erschwert, weil das, was gelehrt und geprüft wird, auseinanderfällt. Jeder Dozent hat seine Vorstellung davon, was die Betriebswirtschaftslehre umfaßt, von der er aber be-
95 stenfalls einen winzigen Ausschnitt behandelt. Was seine Kollegen vermitteln, interessiert ihn nicht sonderlich. Gleichwohl betätigt er sich als Prüfer für das ganze Fach.
100 Als Examinator gefragt ist deshalb nicht, wer die interessantesten Vorlesungen hält, sondern wer den Prüfungsstoff am rigorosesten eingrenzt und für glasklare Verhältnisse sorgt. Wohl den Kandidaten, die ihre
105 Prüfer frei wählen können oder bei der Zuteilung Glück haben. Wer es weniger gut getroffen hat, muß eine Strategie entwickeln, die, oft basierend auf ärztlichen Attesten, auch einen Aufschub von Prü-
110 fungen um ein oder zwei Semester nicht ausschließt.

Traditionellerweise gibt es weder eine Diskussion darüber noch gar eine Instanz, die verbindlich vorgäbe, worin die Ausbildungsziele bestehen und was an Wissen 115 vermittelt werden sollte. Kein Wunder, daß deshalb, solange in den Wirtschaftswissenschaften jede Modeströmung mitgemacht wird, stets Stoff dazukommt und höchst selten einmal Ballast abgeworfen 120 wird.

Viele von uns im Rahmen einer Untersuchung befragte Studenten höheren Semesters erblicken in der „Entrümpelung" des Faches Volkswirtschaftslehre, in der Stan- 125 dardisierung der Allgemeinen Betriebswirtschaftslehre und der Reduktion des Stoffvolumens drei der vier wichtigsten Ansatzpunkte für die Studienzeit-Verkürzung. 130

All solchen Bemühungen wäre indessen keine nachhaltige Wirkung beschieden, wenn sich ein von uns gewonnener Befund als verläßlich erweisen sollte: Mehr als 50 Prozent der Studierenden würden 135 genausoviel Zeit für ihre Ausbildung vorsehen, wenn sie ihr Vorhaben noch einmal planen könnten. Viele wollen demnach ihre Alma mater gar nicht rascher verlassen. Zu verlockend erscheint die Versu- 140 chung, alle Wahlmöglichkeiten auszuloten, die man sich fachlich festlegt, ferner Auslandssemester und Praktika zur Unzeit zu absolvieren oder einer regelmäßigen Tätigkeit nachzugehen, ohne finanziell da- 145 zu gezwungen zu sein.

Da all dies der Verkürzung der Studienzeit nicht förderlich ist, bedarf es sowohl verstärkter Appelle und Aufklärung als auch der Einführung von Sanktionen, um Stu- 150 dienplätze denen zuweisen zu können, die sich ihrer Verpflichtung gegenüber der Gesellschaft bewußt sind.

Erwin Dichtl, in: KARRIERE. Handelsblatt und Wirtschaftswoche.

Der Autor ist Professor an der betriebswirtschaftlichen Fakultät der Universität Mannheim.

**2**

Der Text nennt drei Ursachenbereiche für die lange Studienzeit deutscher Studenten. Welche sind das?

Durch welche Sätze kündigt der Autor an, daß er einen neuen Ursachenbereich behandeln will? Nennen Sie die dafür relevanten Strukturwörter.

**3**
Bilden Sie drei Gruppen. Jede Gruppe sucht die wichtigen Informationen über einen der drei Ursachenbereiche. Tragen Sie diese Ergebnisse vor.

**4**
Fertigen Sie nun zum Gesamttext ein Flußdiagramm an und halten Sie einen freien Vortrag zum Thema.

**5**
Welche Absicht verfolgt der Autor wohl mit diesem Artikel? Berücksichtigen Sie bei Ihrer Antwort den Beruf des Verfassers und die Herkunft des Textes.

## C. Diagramme

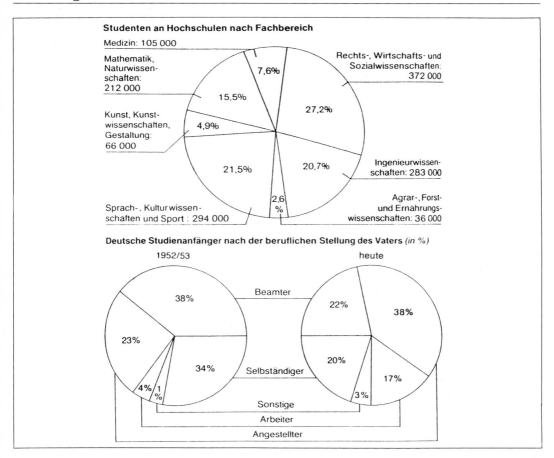

Geben Sie bitte die Informationen der Diagramme schriftlich wieder.
Vorschlag: Gruppenarbeit, je zwei Gruppen bearbeiten ein Diagramm. Anschließend werden die Lösungen verglichen.

# D. Aus der Geschichte der Universität Köln

## Vorlaufphase

**1**

Der nächste Hörtext setzt die Kenntnis einiger Begriffe und Zusammenhänge aus der Kulturgeschichte des deutschen Mittelalters voraus. Lesen Sie bitte folgende Angaben laut vor:

Die vier wichtigen Fakultäten einer mittelalterlichen Universität sind:
– die theologische Fakultät,
– die juristische Fakultät,
– die medizinische Fakultät und
– die „Artisten"-fakultät.

In der Artistenfakultät werden im Anschluß an Traditionen der griechischen und lateinischen Antike sieben Fächer gelehrt:

| 3 sprachliche, 4 mathematische Fächer | |
|---|---|
| Trivium | Quadrivium |
| – Grammatik<br>– Rhetorik<br>– Dialektik | – Arithmetik<br>– Geometrie<br>– Musik<br>– Astronomie |

Man muß dabei beachten, daß besonders die Inhalte des „Triviums" sich sehr stark an den Bedürfnissen der *Theologie* orientieren.

**2**

*Orden* sind geistliche Gemeinschaften von Mönchen/Nonnen. Im Text genannt ist der *Dominikanerorden*, 1216 vom hl. Dominikus gegründet. Zu seinen Hauptzielen gehören: intensive theologische Studien und darauf gegründete Seelsorge.

**3**

*Scholastik* heißt die in den Schulen des Mittelalters ausgebildete Theologie und Philosophie.

Sie will christliche Lehre und philosophisches Denken der Antike miteinander verbinden.

Wichtigste Vertreter:
Albertus Magnus (Albert der Große, 1200–1280),
Thomas von Aquin (1225–1274).

## Hörverstehen

Erklärung

einen Eid auf die französische Republik leisten: in feierlicher Form versprechen, die Herrschaft Frankreichs anzuerkennen und seiner Verfassung die Treue zu halten

**4**

Hören Sie den Text zweimal.

Benutzen Sie dabei die nebenstehende Tabelle als Orientierungshilfe.

Beim zweiten Hören tragen Sie bitte in die Tabelle Notizen über weitere Informationen ein, die Sie verstanden haben.

**5**

Fertigen Sie, u. U. in Gruppenarbeit, auf der Basis der Tabelle und Ihrer handschriftlichen Aufzeichnungen einen Text an, der die wichtigen Informationen des gehörten Vortrags enthält.

▷ *AB S. 231*

| Zeit | Tabelle/Notizen |
|---|---|
| **um 1200** | Gründung der Universität Paris<br>. . . |
| **1248** | Theologenschule der Dominikaner in Köln<br>Leiter: Albert der Große; Schüler: Thomas v. Aquin<br>. . . |
| **1348** | Gründung der ersten deutschen Universität in Prag<br>. . . |
| **1388** | Gründung der Universität Köln<br>4 Fakultäten<br>. . . |
| **14./15. Jhdt.** | Rasche Entwicklung der Universität Köln<br>. . . |
| **16. Jhdt.** | Zeit des Humanismus und der Reformation:<br>Niedergang der Universität<br>. . . |
| **1797** | Friedensschluß von Campo Formio:<br>das linke Rheinufer (Köln) fällt an Frankreich<br>Auflösung der alten Universität<br>. . . |
| **1899** | Neugründung einer Handelshochschule<br>. . . |
| **1919** | Neugründung der Universität<br>. . . |

# E. Birgitta Arens: aus „Katzengold"

## Vorlaufphase

**1**
Haben Sie schon einmal von „Aussteigern" gehört? Was für Menschen sind damit gemeint?

**2**
Aus welchen Gründen steigen Menschen aus der Gesellschaft aus? Sind es viele, die aussteigen?

## Leseverstehen

### *Birgitta Arens*

# Aus: Katzengold

An dem bewußten Dienstagabend hatte Professor Hunck wie üblich mit seiner Frau zu Abend gegessen, in demselben grauen Anzug, den er ⁵ gewöhnlich trug. Nach dem Abendbrot hatte er sich mit der Bemerkung in sein Arbeitszimmer zurückgezogen, er habe noch das morgige Realismusseminar vorzu- ¹⁰ bereiten. Aber auch das ist ganz das Übliche gewesen; seine Frau hat ihn geküßt und ist gleich darauf zu Bett gegangen. Da Frau Hunck einen gesunden Schlaf hat, die Eheleute wegen der oft bis tief in die ¹⁵ Nacht reichenden Arbeiten des Professors zudem getrennte Schlafzimmer bewohnten, hat sie nichts bemerkt. Am nächsten Morgen hatte der Professor das Haus bereits ²⁰ verlassen. In seinem kleinen braunen Lederkoffer hatte er nur wenige persönliche Gebrauchsgegenstände (Wäsche etc.) mitgenommen. ²⁵ Auf dem Schreibtisch fanden sich einige Anmerkungen, die er offenbar noch im Hinblick auf das Seminar niedergeschrieben hatte. Jede Empfindung, war auf dem zuoberst ³⁰ liegenden Blatt zu lesen, stellt nur ein subjektives Abbild der äußeren Realität dar. Und die Bilder, die wir im Kopf haben, stimmen in den seltensten Fällen – hier brachen die ³⁵ Aufzeichnungen ab. Erst am Abend fand Frau Hunck noch einen kleinen Zettel, der zu Boden gefallen war und den sie in der ersten Aufregung übersehen hatte. ⁴⁰

Liebes Dorchen, hieß es dort. Ich kann es einfach nicht mehr mit ansehen.

Sie habe wirklich versucht, sich alle Lebensumstände und Ereignisse ins Gedächtnis zurückzurufen, erklärte Frau Hunck in einem bald darauf erfolgten Gespräch mit dem Dekan der Universität, die auch nur in irgendeinem denkbaren Zusammenhang mit dem plötzlichen Entschluß ihres Gatten hätten stehen können. Das Geschehene blie-be ihr indessen auch weiterhin völlig unverständlich.

Der Sekretärin ihres Mannes vertraute sie allerdings an, daß sie immer daran denken müsse, wie er ihr einmal das Haar aus dem Gesicht gestrichen habe. Wir werden älter, Dorchen, hat er gesagt und sie dabei lange angesehen. Seitdem Professor Hunck verschwunden ist, geht jede Nacht das Telefon. Hunck, komm zurück, ruft seine Frau in den Hörer. Aber am anderen Ende bleibt alles still.

---

**3**

Schreiben Sie eine Geschichte, in der Sie folgende Fragen beantworten:

1. Warum ist Professor Hunck verschwunden?
2. Geben seine abgebrochenen Aufzeichnungen einen Hinweis darauf, warum er verschwunden ist?
   Wie müßte der abgebrochene Satz vollständig heißen?
3. Hat er den Entschluß wegzugehen plötzlich gefaßt?
4. Ruft er seine Frau jede Nacht an? Wenn ja, warum tut er es und warum sagt er nichts? Wenn nein, wer ruft sie an und warum?
5. Wohin ist Professor Hunck Ihrer Meinung nach gegangen und was mag er dort wohl tun?

**4**

Beschreiben Sie diese Graphik von Klaus Staeck. Hat sie etwas mit der Geschichte von Professor Hunck zu tun?

# 22 *Bundesrepublik Deutschland II*

## A. Ingeborg Drewitz: „Der Mann im Eis"

### Vorlaufphase

**1**

Sie haben in Lektion 4 wichtige Daten der deutschen Geschichte kennengelernt.

Wie ist Ihrer Meinung nach das Schicksal eines Mannes, der 1905 geboren ist, 1925 in eine Firma eintritt und dort bis zu seiner Pensionierung im Jahre 1971 – zuletzt als Werkmeister – arbeitet?

Als Hilfe geben wir Ihnen noch: Er ist seit drei Jahren Witwer und hat zwei Kinder, die „etwas Besseres" geworden sind.

Schreiben Sie eine Biographie dieses Mannes. Berücksichtigen Sie dabei besonders, wie das Leben eines „kleinen Mannes" von den geschichtlichen Ereignissen des 20. Jahrhunderts betroffen ist.

**2**

Kurze Einführung in das Thema des Hörspiels:

„Der Mann im Eis" ist ein Kurzhörspiel, das im Jahre 1975 uraufgeführt wurde. Dieses Hörspiel besteht fast ganz aus dem Monolog eines Jubilars, der an einem Tag im Jahre 1971 die Altersgrenze erreicht hat, pensioniert wird und sich bei einer kleinen Abschiedsfeier mit seinen Arbeitskollegen an sein Leben zurückerinnert.

Am Anfang und auch mehrmals im Verlauf dieser großen Rede hören Sie eine Rundfunkmeldung, die immer mehr vervollständigt wird. Sie beginnt mit den Worten: „Ein Gletscher des Monte Rosa gab den Leichnam des Casimiro Bichi frei...".

### Hörverstehen

**3**

Lesen Sie bitte folgende Angaben:

Erdbeeren einwecken: Erdbeeren kochen und luftdicht verschließen

Jahre mit dem Kohl: Kriegsjahre, in denen Kohl und andere Gartenprodukte lebenswichtig waren

bis auf die Kleine: außer der Kleinen (= das jüngste Kind)

Jahre danach: Jahre nach dem 2. Weltkrieg

klettern (die Kletterei): schwierige Bergtouren im Gebirge unternehmen

der Kamin, -e (Bergsteigen): schmaler, tiefer Spalt zwischen zwei steilen Felswänden (hier: die Sächsische Schweiz)

der Gipfel, -: der höchste Punkt eines Berges

**4**

Hören Sie zunächst das ganze Hörspiel.

Hören Sie es dann noch einmal in Abschnitten, die durch die Meldung markiert sind.

Sammeln Sie Informationen zu folgenden Fragen:

– Wie ist die Biographie des Mannes zu rekonstruieren?

– Welche Haltung nimmt der Jubilar zu seiner Pensionierung ein?

- Wie sieht er am Schluß seiner Rede
  Vergangenheit und Zukunft seines Le-
  bens?
- Welche Bedeutung hat die Rundfunk-
  meldung?
- Wie beurteilen Sie die Selbstkritik des
  Mannes, daß er „krumm" sei, weil er
  sich zuviel „gekrümmt" habe?

**5**

Welche besonderen Stilmittel für die
Textsorte „Hörspiel" können Sie in der
vom Westdeutschen Rundfunk hergestellten Produktion erkennen?

---

# B. Gerhard Fuchs: Ballungszentren und Teilhauptstädte

## Vorlaufphase

**1**

Im sogenannten Einigungsvertrag ist festgelegt, daß die Hauptstadt Deutschlands Berlin sein soll. Um die Frage, welche Stadt Regierungssitz des wiedervereinigten Deutschland werden soll, hat es große Diskussionen gegeben, bis sich im Juni 1991 eine knappe
Mehrheit des Bundestags für Berlin ausgesprochen hat.
Viele Argumente pro Bonn oder pro Berlin sind nur zu verstehen, wenn man die
besondere historische Entwicklung Deutschlands berücksichtigt. Die im folgenden
abgedruckten Ausführungen von Gerhard Fuchs geben Ihnen einen Überblick über die
Hauptstadtproblematik Deutschlands im 19. und 20. Jahrhundert.

## Leseverstehen

### Gerhard Fuchs

#### Ballungszentren und Teilhauptstädte

Die meisten Nachbarstaaten der Bundesrepublik haben große, an Bedeutung alle
anderen Städte des Landes überragende
Landeshauptstädte, ihre Metropolen.
5 Diese Hauptstädte sind in langer und ge-
schichtlich ungebrochener Entwicklung
zum Brennpunkt des gesellschaftlichen
Lebens und zu Steuerungszentren der politischen und wirtschaftlichen Macht ge-
10 worden. Sie haben ihre Bedeutung bis
heute behauptet.

In der deutschen Geschichte bestimmte
der Wechsel und die Konkurrenz teil-
staatlicher Macht das Geschehen und
brachte eine Vielzahl von Städten in die 15
Auseinandersetzung um den Vorrang.
Die meisten von ihnen haben dadurch an
Bedeutung gewonnen, ohne sich jedoch
endgültig durchsetzen zu können. Erst
seit der Gründung des Deutschen Reiches 20
unter Bismarck, 1871, wurde Berlin
durch die veränderten Territorialverhältnisse so privilegiert, daß es sich rasch zur
Metropole und zu einem überragenden
Zentrum entwickeln konnte. Seine 25
Hauptstadtbedeutung war allerdings von

▷

kurzer Dauer. Nach dem Zweiten Weltkrieg konnte es seine Aufgabe für die Bundesrepublik wegen der Teilung Deutschlands, wegen des Viermächtestatus sowie wegen seiner isolierten Lage für das Land nicht mehr erfüllen.

Die besondere Situation Berlins nach 1945 hat bis heute zu einem „Hauptstadtproblem" in der Bundesrepublik geführt: die Staatsgründung aus den drei westlichen Besatzungszonen brachte zusätzlich die Auflage zur föderalistischen Organisation. So blieben nicht nur viele für Gesellschaft und Staatsorganisation wichtige Aufgaben in der Hoheit der Bundesländer, auch Bundesfunktionen wurden nicht allein auf den Standort Bonn beschränkt. Höchste Staatsfunktionen (z. B. das Bundesverfassungsgericht oder die Bundesanstalt für Arbeit) wurden dezentralisiert: 1975 arbeiteten von den insgesamt 58 500 Bundesbeschäftigten nur 20 700 in Bonn selbst, 8600 weiterhin in 10 Bundesbehörden in West-Berlin. Die Voraussetzungen zu solcher Dezentralisierung liegen in einem ererbten starken Regionalismus, der schon in der Vergangenheit starke Regionalzentren hatte entstehen lassen.

Das Zentrenmuster für eine sich ergänzende Aufgabenteilung unter den Teilhauptstädten war also historisch angelegt. Entscheidend für die Situation in der Nachkriegszeit war dann das schlagartige Fehlen des seither absolut höchstrangigen Zentrums Berlin, was bedeutete, daß alle seither nachrangigen Zentren eine funktionale Aufwertung erfuhren. So zeigt sich eine langfristige Tendenz zur Konzentration von Standorten überregionaler Institutionen, Wirtschaftsorganisationen und Verbänden auf vier „Teilhauptstädte", verbunden mit unterschiedlichen Bedeutungsschwerpunkten. Eine Mischung aus politischem Zentrum, Repräsentanz in- und ausländischer Wirtschaftsverbände und Firmen, Versicherungszentralen und Messen kennzeichnet die „Hauptstadtregion" Bonn-Köln-Düsseldorf; Frankfurt/M. entwickelte sich zum Organisationszentrum für Wirtschaft und Finanzwesen sowie zur europäischen Verkehrsdrehscheibe, Hamburgs Schwerpunkte sind (Außen-)Handel, Verkehr und Pressewesen, und München schließlich hat bundesweite Bedeutung in den Bereichen Kultur, Hochschulwesen und Forschungseinrichtungen erlangt.

Bonn mußte sich bis in jüngste Zeit unter der „Hypothek" des Provisoriums entwickeln, sein Aufstieg als politisches Zentrum ist dennoch einer der wichtigsten Aspekte städtischer Bedeutungsentwicklung in der Nachkriegszeit. Allerdings kann Bonn die vielfältigen hauptstädtischen Aufgaben bis heute nur in Verbindung mit den benachbarten Zentren Köln und Düsseldorf erfüllen.

Daneben entwickelten sich „Regionalhauptstädte", deren Ausstrahlung sich auf das jeweilige Bundesland oder auf wichtige Wirtschaftsregionen beschränkt: allen voran Stuttgart und Hannover, dazu dann Nürnberg, Mannheim, Essen und Bremen.

Die weitgehende Funktionsstreuung auf eine größere Zahl von Städten, über das gesamte Bundesgebiet verteilt, hat nun zwar keine neue Metropole entstehen lassen, wohl aber eine mögliche Tendenz zur Provinzialisierung der Gesellschaft außerhalb der zentralen Hauptstadt weitgehend vermeiden helfen. Sie hat der Bundesrepublik im Vergleich zu anderen Ländern sogar zu einer der stabilsten inneren räumlichen Strukturen überhaupt verholfen.

Gestützt wird diese Entwicklung durch die Tatsache, daß die meisten der neuen Teilmetropolen oder Hauptstädte zugleich die Kernstädte von Ballungsgebieten sind, und daß sich diese Ballungsgebiete, wenn auch nicht ausgewogen und gleichmäßig, auf alle Bundesländer verteilen. Als Gebiete besonderer Wirtschaftskraft stabilisieren sie die neue dezentralisierte Struktur und heben zugleich den allgemeinen Leistungsstandard in vielen Teilen der Bundesrepublik. Die Kernstädte der Ballungsgebiete setzen heute die Normen für den Lebensstandard und für die Entwicklungsdynamik. So hat die Bundesrepublik viele Teilmetropolen und ein stabilisierendes wirtschaftsräumliches Rückgrat: die Ballungsgebiete.

Erklärungen

der Brennpunkt, -e: hier: Mittelpunkt

das Steuerungszentrum, -en: Punkt, von dem aus alle Vorgänge gelenkt werden

die Territorialverhältnisse (Pl.): Größe der Länder und deren Herrschaftsverhältnisse

privilegieren: jmdm. eine Sonderstellung, ein Vorrecht einräumen

der Viermächtestatus Berlins: rechtliche Stellung von Berlin – *Auf Grund des Berliner Viermächtestatus vom 5. Juni 1945 wurde Berlin seit Juli 1945 von amerikan., brit., frz. und sowjet. Truppen besetzt und, in vier Sektoren geteilt, gemeinsam verwaltet. 1948 beendeten die Auseinandersetzungen zw. den Westalliierten und der UdSSR fakt. die Viermächteverwaltung der Stadt. Die UdSSR stellte im Juni ihre Mitarbeit in der Alliierten Hohen Kommandantur Berlin ein und verhängte die Berliner Blockade. (Meyers Großes Taschenlexikon, 1981)*

der Regionalismus: das Vertreten der Eigeninteressen eines Gebietes innerhalb des Staates

das Zentrenmuster, -: Struktur mit verschiedenen Zentren

seither: hier: bis dahin

höchstrangig: an erster Stelle stehend

nachrangig: nachgeordnet

die Aufwertung: die Erhöhung des Wertes, die Zunahme an Bedeutung

der Bedeutungsschwerpunkt, -e: hier: Mittelpunkt eines bestimmten Bereichs

die Verkehrsdrehscheibe, -n: der Verkehrsknotenpunkt

bundesweit: auf dem Gebiet der ganzen Bundesrepublik Deutschland

die Hypothek, -en: hier: belastender, negativer Umstand

die Ausstrahlung, -en: die Wirkung, der Wirkungsbereich

die Funktionsstreuung: die Verteilung der Aufgaben

## 2

Bringen Sie die folgenden sieben Sätze in die richtige Reihenfolge. Prüfen Sie, ob der Text überall richtig zusammengefaßt ist.

1. Viele Städte kämpften um den Vorrang, so daß eine Reihe bedeutender Städte entstand.
2. Sie stabilisieren die räumliche Struktur der Bundesrepublik und senken den allgemeinen Lebensstandard.
3. So entstanden, gestützt auf den ererbten Regionalismus, vier Teilhauptstädte mit unterschiedlichen Funktionen und daneben mehrere Regionalhauptstädte.
4. Erst nach 1871 wurde Berlin zu einem überragenden Zentrum.
5. Die Teilmetropolen sind zugleich Kernstädte von Ballungsgebieten, die sich auf alle Bundesländer verteilen.
6. Im Gegensatz zu seinen Nachbarstaaten hatte Deutschland lange keine Metropole.
7. Nach dem Zweiten Weltkrieg konnte Bonn nicht alle Hauptstadtfunktionen übernehmen.

## Textkonstitution

## 3

Markieren Sie alle textbildenden Elemente (▷ Lektion 15 C). Machen Sie einen Kreis um alle Wörter (Pronomen und Adverbien), die vorangegangene

Textteile wieder aufnehmen. Erklären Sie, worauf sie sich beziehen. Unterstreichen Sie alle sinntragenden Wörter, die wiederholt werden, in Komposita wiederauftauchen oder durch Synonyme ersetzt werden. Vorschlag: Bilden Sie fünf Gruppen. Jede Gruppe markiert einen Textabschnitt, z. B. *Z. 1–32, Z. 33–55, Z. 56–84, Z. 85–101 und Z. 102–132.*

Bei der Entfaltung des Themas werden Einzelaussagen dadurch verbunden, daß etwas bereits Gesagtes zum Anknüpfungspunkt einer neuen Aussage wird. So entsteht eine Kette von bekannten Sachverhalten und neuen Aussagen.

**4**
Untersuchen Sie nun, wie das Thema entfaltet wird.

Ergänzen Sie das Schema. Vorschlag: Gruppenarbeit an den bereits markierten Textteilen.

| **Worüber** etwas gesagt wird | **Was** darüber gesagt wird |
|---|---|
| Nachbarstaaten der Bundesrepublik | große, bedeutende Landeshauptstädte, Metropolen |
| Hauptstädte | Brennpunkt des gesellschaftlichen Lebens<br>Steuerungszentren politischer und wirtschaftlicher Macht<br>Bedeutung bis heute behauptet |
| Wechsel und Konkurrenz teilstaatlicher Macht | in der deutschen Geschichte bestimmend, führen zur Konkurrenz vieler Städte |
|  |  |

**5**
Bereiten Sie ein Kurzreferat über eines der folgenden Themen vor:
„Die historische Entwicklung und die Bedeutung der Hauptstadt meines Heimatlandes"

„Die räumliche Struktur meines Heimatlandes (Ballungsgebiete – Teilhauptstädte – Regionalhauptstädte)"
▷ *AB S. 236, 237*

# C. Städtebilder

Auf den Seiten 236 bis 238 sehen Sie eine Collage mit Fotos von einigen deutschsprachigen Städten und Zitaten berühmter deutscher Schriftsteller bzw. Zeilen aus bekannten deutschen Volksliedern.

Lesen Sie zunächst die Informationen zu den einzelnen Autoren. Welche kennen Sie? Welche Werke haben Sie schon gelesen? Berichten Sie.

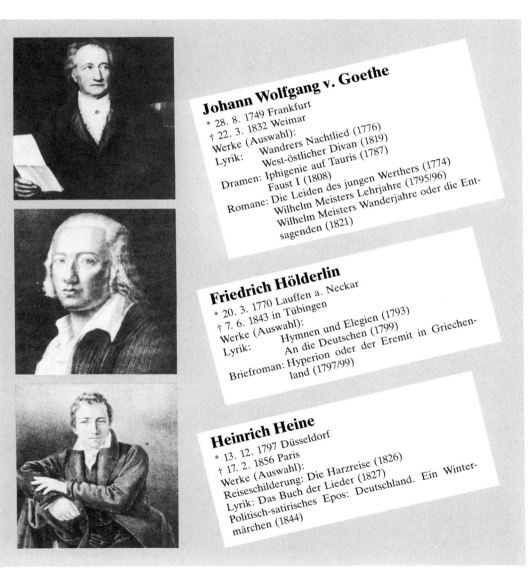

**Johann Wolfgang v. Goethe**
\* 28. 8. 1749 Frankfurt
† 22. 3. 1832 Weimar
Werke (Auswahl):
Lyrik: Wandrers Nachtlied (1776)
West-östlicher Divan (1819)
Dramen: Iphigenie auf Tauris (1787)
Faust I (1808)
Romane: Die Leiden des jungen Werthers (1774)
Wilhelm Meisters Lehrjahre (1795/96)
Wilhelm Meisters Wanderjahre oder die Entsagenden (1821)

**Friedrich Hölderlin**
\* 20. 3. 1770 Lauffen a. Neckar
† 7. 6. 1843 in Tübingen
Werke (Auswahl):
Lyrik: Hymnen und Elegien (1793)
An die Deutschen (1799)
Briefroman: Hyperion oder der Eremit in Griechenland (1797/99)

**Heinrich Heine**
\* 13. 12. 1797 Düsseldorf
† 17. 2. 1856 Paris
Werke (Auswahl):
Reiseschilderung: Die Harzreise (1826)
Lyrik: Das Buch der Lieder (1827)
Politisch-satirisches Epos: Deutschland. Ein Wintermärchen (1844)

## Christian Morgenstern
\* 6. 5. 1871 München
† 31. 3. 1914 Meran
Werke (Auswahl):
Lyrik: Galgenlieder (1905)
Palmström (Groteske Gedichte 1910)

## Gottfried Benn
\* 2. 5. 1886 Mansfeld
† 7. 7. 1956 Berlin
Werke (Auswahl):
Lyrik: Morgue u. a. Gedichte (1902)
Statische Gedichte (1948)
Prosa: Der Ptolemäer (1949)

„Innsbruck, ich muß dich lassen
Ich fahr dahin mein Straßen
In fremde Land dahin.
Mein Freud ist mir genommen
Die ich nit weiß bekommen
Wo ich im Elend bin.“
(Volkslied)

„Korf – man kennt ihn wohl genügend –,
Korf begibt sich nach Berlin,
einem Zug der Zeit sich fügend.“
(C. Morgenstern)

„Zu Köllen an dem Rhein
gibt's so viel Kirchen und Klöster
als Tag im Jahre sein".
(Volkslied)

Heidelberg
„Lange lieb ich dich schon, möchte dich, mir zur Lust
Mutter nennen und dir schenken ein kunstlos Lied,
Du, der Vaterlandsstädte
Ländlichschönste, so viel ich sah . . ."
(F. Hölderlin)

„Mein Leipzig lob' ich mir.
Es ist ein klein Paris und bildet seine Leut."
(J. W. v. Goethe)

Meinen Sie, Zürich zum Beispiel
sei eine tiefere Stadt,
wo man Wunder und Weihen
immer als Inhalt hat?
(G. Benn)

Göttingen
„Berühmt durch ihre Würste und Universität"
(H. Heine)

„Es, es, es und es
Es ist ein hartes Muß
daß, daß, daß und daß
daß ich aus Frankfurt muß."
(Volkslied)

# Das andere Inhaltsverzeichnis
## Lernziele und Lernschritte der Lektionen

Themenbereich:
**Im fremden Land**
Impressionen, Orientierung,
Information

– Hinweise für die Beantwortung von Fragen zu einem Text

**D. Eichendorff (1788–1857): „Wer in die Fremde will wandern"**

**A. Vorstellungen und Erwartungen**
Suleman Taufiq: Die Frage *(Gedicht)*
Dragutin Trumbetas: Ismet ist allein *(Graphik)*

**B. Michèle Dupire: Ihr Deutschen seid etwas erstaunlich**
*(Zeitungsbericht)*

Orientierendes Lesen
– Einen Erwartungshorizont aufgrund von Titel und Angaben über den Verfasser aufbauen
– Aspekte eines Themas markieren und wiedergeben
– Fragen zum Text stellen
– Aussagen des Textes relativieren
– Verben des Urteilens (I)

**C. Ein jordanischer Student erzählt**
*(Erfahrungsbericht)*

Hörverstehen
– Informationen auffinden *(multiple choice)*
– Stichpunkte sammeln
– Hauptinformationen mit Hilfe von Fragen formulieren

**A. Mit Hilfe des Stadtplans Wege finden**
Produktion
– Einem Stadtplan Informationen entnehmen
– Redemittel für Auskunftsgespräche und Wegbeschreibungen
– Auskunftsgespräche üben

**B. Daxing Chen: Gnädige Frau**
*(Anekdote)*

Leseverstehen/Produktion
– Falsches Register erkennen
– Inhalt in angemessener Sprache darstellen
– Wege beschreiben

**C. Franz Kafka: Gib's auf!**
*(Parabel)*

Hörverstehen/Leseverstehen
– Das Verb „aufgeben"
– Hinweise für das Lesen eines Lexikonartikels
– Aus lexikalischen Angaben und Kurzsätzen Sätze bilden
– Verschiedene Interpretationsmöglichkeiten der Parabel formulieren

**D. Einige Daten zur deutschen Geschichte**
*(Tabelle)*

Leseverstehen/Produktion
– Tabellarische Angaben zu einem Text ausformulieren

**E. Die Nationalhymne der Bundesrepublik Deutschland**
*(Interview)*

Hörverstehen/Produktion
– Sammeln und Ordnen der Hauptinformationen
– Durch Fragen gelenktes Hören
– Herstellung eines Bezugs zur Gegenwart (*Schaubildinterpretation*)

---

Themenbereich:
**Wohnen, Wohnbereiche, Umgebungen**

---

**A. Verschiedene Formen des Wohnens**
*(Fotocollage)*

Produktion
– Fotos beschreiben und vergleichen
– Den Fotos Überschriften zuordnen

**B. Michael Andritzky: Das Bedürfnis nach Kontakt und Kommunikation**
*(Sachtext)*

Leseverstehen
– Aussagen einander zuordnen
– Beziehungen zwischen Einzelinformationen angeben
– Haupt- und Nebeninformationen unterscheiden

– Schlüsselwörter als Träger von Hauptinformationen auffinden
– Die konzessive Relation

**C. Pro Großstadt – Pro Kleinstadt**
*(Statements)*

Hörverstehen
– Argumente für oder gegen das Leben in der Großstadt bzw. Kleinstadt sammeln
– Argumente und Konzessionen der Texte wiedergeben
– Hinweise für das Abfassen von Statements

**D. Ot Hoffmann: Wohnen in der Stadt – mitten in Deutschland**
*(Erfahrungsbericht)*

Totales Lesen
– Einen Erwartungshorizont aufgrund von Titel, Untertitel und Zwischentiteln aufbauen
– Dem Text Argumente entnehmen und wiedergeben
– Redemittel für die Formulierung von Gegensätzen; Adversativsätze
– Dem Text Informationen über den Autor und seine Absicht entnehmen
– Nominalkomposita vom Typ Substantiv + Substantiv auflösen
– Rätsel

---

**A. Die neue Wohnungsnot/Fast 900 000 Wohnungen fehlen**
*(Schaubild/Kurztext)*

Leseverstehen/Produktion
– Befragung eines Schaubildes
– Versprachlichung statistischer Daten

- Einen Bezug herstellen zwischen Schaubild und Text, Erkennen von Gemeinsamkeiten und Unterschieden
- Das Partizipialattribut und seine Rolle für das Leseverstehen
- Textlinguistik: die temporale Sequenz
- Wortschatz: Verben der quantitativen Veränderung

## B. Studentische Wohnformen
*(Tabelle)*

Leseverstehen/Produktion
- Erkennen von Entwicklungstrends
- Versprachlichung einer Statistik mit Hilfe der Verben der quantitativen Veränderung
- Erkennen und Formulieren kausaler Faktoren von Entwicklungstrends

## C. Zimmersuche. Eine ASTA-Referentin gibt Auskunft
*(Interview)*

Hörverstehen
- Aufbau und Aufgabe der Textsorte Interview
- Die Fragefolge wiedergeben
- Zwischen weiterführenden Fragen und Nachfragen unterscheiden
- Antworten den Fragen zuordnen
- Interviews üben

## D. Mahnung und Antwort
*(Formbrief)*

Leseverstehen und schriftliche Produktion
- Einen Formbrief verstehen
- Den Brief mit Hilfe von Vorgaben beantworten und dabei die Formalien eines Geschäftsbriefs beachten

# Straßen und Plätze

## A. Negative Auswirkungen des Individualverkehrs
*(Kurzvortrag)*

Hörverstehen/Produktion
- Teilthemen erklären und erläutern
- Teilthemen, Hauptinformationen, Sprechabsichten auffinden (multiple choice)
- einen Kurzvortrag zu einem Teilthema vorbereiten und halten

## B. Pro und contra Individualverkehr in den Städten
*(Diskussion)*

Mündliche Produktion
- Sammeln von Argumenten
- Statements formulieren
- Redemittel für diskussionssteuernde Sprechabsichten (behaupten, begründen, widersprechen, konzedieren)
- eine Diskussion durchführen und analysieren

## C. Max von der Grün: Meine Straße
*(Fiktionaler Prosatext)*

Leseverstehen
- Thema und Absicht des Autors verstehen
- Beziehungen zwischen Wohnverhältnissen und sozialpolitischen Gegebenheiten erkennen
- Gegensätze sprachlich darstellen (Adversativsätze)

## D. Der Marienplatz in München

Leseverstehen/Produktion
- Die Platzbeschreibung eines Reiseführers selegierend lesen
- Das Register wechseln: von der schriftlichen zur mündlichen Kommunikation

– Eine Diskussion führen und diese analysieren

## E. Erika Runge: Frauen
*(Erfahrungsbericht)*

Hörverstehen
– Mit Hilfe von Stichworten eine Ge-
schichte erfinden
– Den Inhalt dieser Geschichte mit dem
des gehörten Textes vergleichen
– In Gruppenarbeit die Aussagen er-
gänzen
– Den argumentativen Teil des Textes de-
tailliert wiedergeben
– Adverbien der Bekräftigung

## C. Jugend der 90er Jahre
*(Vortrag)*

Hörverstehen/Produktion
– Erkennen der Binnengliederung eines
Hörtextes
– Verfassen eines Textes nach Vorgabe
von Schlüsselwörtern
– Transferübung: Einbringung eigener
Erfahrungen der Lerner

---

Themenbereich:
## Ernährung und Lebensmittel-
## versorgung

---

### A. Träumender Jüngling
Joshua Reynolds: Jüngling mit Flöte in
waldiger Landschaft
*(Bild)*

Werner Vordtriede: aus „Ulrichs Ulrich..."
*(Roman)*

Bild-/Textcollage
Produktion
– Bild und Textausschnitt interpretieren
– Zu Bild und Text eine Phantasiege-
schichte schreiben

### B. Kritisch, forsch und selbstbewußt
*(Zeitungstext)*

Leseverstehen/Produktion
– Selegierendes Lesen
– Übung zu Textbezügen

### A. Robert Wolfgang Schnell: Grüner Fisch
*(Rezept in literarischer Form)*

Selegierendes Lesen/Produktion
– die für die Zubereitung relevanten An-
weisungen herausfinden und umformen
– *Werden-* und *sein-*Passiv

### B. Weinanbau in Deutschland
*(Sachgespräch)*

Hörverstehen
– Fachausdrücke verstehen
– Textinformationen sammeln
– Ablauf des Gesprächs rekonstruieren
– Über das Problem „Alkohol" disku-
tieren

---

## C. Hubert Fritz: Die einzelnen Mahlzeiten
*(Sachtext/Ratgeber)*

Kursorisches Lesen
- Empfehlungen und Warnungen des Autors auffinden
- Nominalkomposita auflösen
- Wörter aus dem Kontext erschließen

## D. Mensaessen
*(Unterhaltung)*

Hörverstehen/Produktion
- Das Sprachregister näher bestimmen
- Dem Text Informationen entnehmen und in eine Tabelle eintragen
- Einen Informationstext schreiben

## E. Daxing Chen: Nein, danke
*(Erlebnisbericht)*

Leseverstehen/mündliche Produktion
- Gründe für Mißverständnisse herausfinden
- Über eigene Erfahrungen bei Einladungen berichten

---

## A. Ernten werden immer größer
*(Tabelle)*

Produktion/Leseverstehen
- Ergebnisse einer Tabelle zusammenfassen

## B. Überernährung
*(Kurzvortrag)*

Hörverstehen
- Mit Hilfe eines Fach(lese)textes einen Erwartungshorizont aufbauen

- Leitinformationen erkennen und formulieren
- Einzelaussagen des Textes notieren
- Redemittel für eine Zusammenfassung

## C. Bertolt Brecht
aus „Deutsche Kriegsfibel" *(Spruch)*
Fröhlich vom Fleisch zu essen *(Gedicht)*
Hungern *(Kalendergeschichte)*

- Texte interpretieren und vergleichen

## D. Die Welt-Ernährungssituation
*(Weltkarte)*
- Der Karte Informationen entnehmen

## E. Wanda Krauth: Ökologischer Landbau und Welthunger
*(Sachtext)*

Kursorisches Lesen
- Hauptthesen des Textes auffinden und ordnen
- Textzusammenhänge feststellen

## F. Die Ursachen des Hungers in den Ländern der Dritten Welt
*(Diagramm)*

Produktion
- Ursachen und Wirkungen erkennen und beschreiben
- Redemittel zur Darstellung von Grund-Folge-Verhältnissen

## G. Überernährung – Unterernährung
*(Kurzreferat)*

Produktion
- Anleitung für das Verfassen und Vortragen von Kurzreferaten
- Mit Hilfe eines Gliederungsmusters ein Kurzreferat schreiben und halten

- Notizen korrigieren
- Regeln für Notieren formulieren

## C. Bewerbungsschreiben
*(Brief, Stellenanzeigen)*

Produktion
- Muster eines Bewerbungsschreibens
- Ein Bewerbungsschreiben abfassen

---

**Lektion 15**        S. 151–169
## Wirtschaft und Gesellschaft

### A. Adieu „Genosse"
*(Schaubild)*

Leseverstehen/Produktion
- Befragung eines Schaubildes: Erkennen unterschiedlicher Einstellungsprofile und der Gründe dafür
- Erkennen der Hauptinformationen eines Schaubildes und ihre Versprachlichung

### B. Werbung in den 90er Jahren
*(Sachtext, Werbetext, Kurzvortrag)*

Leseverstehen/Produktion
- Vergleich zweier Kurztexte, Identifikation der konstitutiven Merkmale von Sach- bzw. Werbetexten

Hörverstehen/Produktion
- Anlegen einer Stichwortskizze zu dem Hörtext
- Mündlicher Vortrag auf der Grundlage der Stichwortskizze
- Erläuterung des Begriffes „Wertewandel"

### C. C. F. v. Weizsäcker: Wirtschaft
*(Schriftliche Fassung einer Rede)*

Leseverstehen/Produktion
- Lesen eines Lexikonartikels; Identifikation der Abkürzungen
- Formulierung der Leitinformationen
- Funktion von Stilmitteln: vorsichtige Behauptung, Parallelismus, Wortspiel

### D. Gerhart Hauptmann: aus „Die Weber"
*(Dramenszene)*

Hörverstehen
- Historische Vorinformationen
- Mit Hilfe von Leitfragen die Aussagen interpretieren
- Konträre Positionen (Unternehmer, Revolutionär) in einem Streitgespräch darstellen

### E. Helga Grebing: Die gesellschaftliche Situation des Arbeiters heute
*(Soziologischer Sachtext)*

Totales Lesen
- Struktur eines argumentativen Textes analysieren
- Hinweise zum Aufbau argumentativer Texte
- Strukturwörter markieren
- Signalcharakter der Interpunktion
- Satzzeichen durch Konjunktionen ersetzen
- Ein Thesenpapier vervollständigen
- Wortstellung: die Ausklammerung

### F. „Hierarchie überall"
*(Karikatur)*

Produktion
- Ein Märchen erzählen

– Bezug der Karikatur zur Arbeitswelt finden

## G. Miteinander leben in Berlin
*(Appellativer Sachtext)*

Totales Lesen
– Textaufbau erkennen
– Zwischen realer und hypothetischer Situation unterscheiden
– Lexikalische und grammatische Umformungen

## C. Gesundheit und Wetter
*(Kurzvortrag)*

Hörverstehen
– Der Begriff **Inversion** im Kontext der Einzelwissenschaften
– Die Leitinformationen des Vortrags formulieren
– Den Leitinformationen wichtige Details zuordnen
– Texttragende Wörter selegieren
– Regeln für Notieren formulieren

---

| Themenbereich: |
| :--- |
| **Gesundheit und Krankheit** |

## Einfluß von Klima und Wetter auf den Menschen

### A. Gedichte zu den Jahreszeiten
Eduard Mörike: Er ist's
Georg Trakl: Sommer
Rainer Maria Rilke: Herbsttag
Matthias Claudius: Ein Lied hinterm Ofen zu singen

Hör- und Leseverstehen
– Gedichte durch ihre Klanggestalt aufnehmen
– Gedichte interpretieren

### B. Wettervorhersage
*(Zeitungstext und Wetterkarte)*

Leseverstehen
– Meteorologische Fachwörter klären
– Einer Wetterkarte und Wettervorhersage bestimmte Informationen entnehmen
– Beschreibung menschlicher Beziehungen durch Wörter aus der Meteorologie

## Gesundheit durch Medizin?

### A. Die Entwicklung eines Medikaments
*(Kurzvortrag)*

Hörverstehen
– Leitinformationen formulieren
– Notizen zu den einzelnen Abschnitten anfertigen
– Die Mitschrift korrigieren
– Aus notierten Stichworten einen Text herstellen
– Über die Problematik des Themas diskutieren

### B. Orientierung über ein Buch
W. Pschyrembel: Klinisches Wörterbuch
*(Titel, Klappentext, Impressum, Vorwort, Kritikerstimmen)*

– Hinweise zur Erstorientierung
– Sich über Adressaten, Inhalt und Ziele eines Buches orientieren
– Seine Eignung für eigene Interessen feststellen
– Partizipialattribute in Relativsätze umformen
– Nominale Wendungen in Nebensätze umformen

## C. Verhältnis Arzt – Patient

Hans Halter: aus „Das Große ADAC-Gesundheitsbuch"
*(Informativer Sachtext)*

Maxie Wander: aus „Leben wär' eine prima Alternative"
*(Tagebuch)*

Totales Lesen
- Schlüsselwörter finden
- Textbezüge feststellen
- Texte vergleichen
- Unterschiedliche Perspektiven und Intentionen der Autoren feststellen
- Perspektive des Lesers

## D. Balint-Medizin. Ein Platz für Emotionen

*(Diskussion mit mehreren Teilnehmern)*

Hörverstehen
- Sprecherwechsel feststellen
- Mit Hilfe von Leitfragen die Inhalte einzelner Teile wiedergeben
- Über alternative Methoden in der Medizin diskutieren

## E. Arztwitze

---

Themenbereich:
## Kultur und Technik

---

## A. Der heilige Hieronymus im Gehäuse
*(Kupferstich von Albrecht Dürer)*

Produktion
- Den Kupferstich mit Hilfe von Stichworten beschreiben

- Die (zentralperspektivische) Darstellung von Raumtiefe analysieren
- Diese mit anderen Möglichkeiten räumlicher Darstellung vergleichen
- Über das Bild des Gelehrten/Wissenschaftlers in verschiedenen Zeiten sprechen

## B. Westliche Kultur und Dritte Welt – zum Zweifel an Modernität und Wissenschaft
*(Kurzvortrag)*

Hörverstehen
- Ein vorbereitendes „hand out" lesen
- Den Inhalt des „hand out" durch Notizen ergänzen
- Den Inhalt des Textes aus Notizen rekonstruieren
- Die Argumente des Verfassers relativieren und ergänzen

## C. Hans Daiber: Dumme oder boshafte Kuh?
*(Feuilletontext)*

Kursorisches Lesen
- In Stichworten vorgegebene Hauptinformationen nach ihrer Reihenfolge im Text ordnen
- Über kulturbedingte Unterschiede beim Schimpfen sprechen
- Ellipsen ergänzen
- Formen der Redewiedergabe

---

## A. Der physikalische Körper
*(Zwei Fachtexte für verschiedene Adressatengruppen)*

- Die lexikalisch-grammatischen Unterschiede zweier inhaltlich gleicher Texte auffinden und darstellen

– Kriterien für die Diktion eines fachsprachlichen Textes herausarbeiten

## B. Die Wärmepumpe
*(Schema; Kurzvortrag)*

Hörverstehen
– Fachausdrücke eines Schemas erklären
– Mit Hilfe mündlicher Erklärungen Prinzip und Arbeitsweise einer Wärmepumpe verstehen
– Ein unvollständiges Schema auf der Basis eines Vortrags ergänzen

## A. Bertolt Brecht: Ich habe gehört, ihr wollt nichts lernen
*(Gedicht)*

– Textaufbau und Stilmittel des Autors
analysieren

## B. Charles M. Schulz: Die Peanuts
*(comic – strip)*

– Der Bildfolge die passenden Texte zuordnen

## C. Das Schulsystem der Bundesrepublik Deutschland
*(Diagramm, Kurztext)*

Leseverstehen/Produktion
– Verarbeitung der Information eines
komplexen Diagramms
– Identifikation und Korrektur falscher
Informationen in einem Text mit Hilfe
des Diagramms

– Das Schulsystem des Heimatlandes vorstellen und mit dem der Bundesrepublik Deutschland vergleichen

## D. Führungskräfte der 90er Jahre
*(Zeitungstext)*

Leseverstehen/Produktion
– Identifikation der Hauptinformationen
– Vervollständigung eines Flußdia-
gramms mit Hilfe des Textes
– Textlinguistik: Strukturwörter als Lese-
hilfe
– Grammatik: indirekte Rede

## E. Interview mit einer Bildungspolitikerin

– Mit Hilfe von Stichpunkten den Inhalt
der Fragen wiedergeben
– Den Fragen Antworten zuordnen
– Wertende Intentionen der Antworten
erkennen

## A. Zwei Universitäten
*(Fotos)*

Produktion
– Gebäude einer alten und einer modernen Universität miteinander vergleichen

## B. Studenten verlieren durch schlechte Planung viel Zeit
*(Zeitungstext)*

Leseverstehen/Produktion
– Identifikation von Strukturwörtern, ih-
rer Gliederungsfunktion im Text
– Erstellung eines Flußdiagramms auf der
Grundlage des Textes und freier Vor-
trag der Hauptinformationen
– Die Absichten des Autors erkennen

## C. Studenten an Hochschulen nach Fachbereichen
## Deutsche Studenten nach der beruflichen Stellung ihres Vaters
*(Zwei Diagramme)*

Produktion
– Zu den Diagrammen einen Text schreiben

## D. Aus der Geschichte der Universität Köln
*(Kurzvortrag; Tabelle)*

Hörverstehen
– Vorinformationen zur Universitätsgeschichte des europäischen Mittelalters
– Eine tabellarische Übersicht auf der Basis eines Vortrags vervollständigen
– Den Inhalt des Vortrags wiedergeben

## E. Birgitta Arens: aus „Katzengold"
*(Fiktionaler Prosatext)*

Leseverstehen/Produktion
– Die unbestimmten Stellen des Textes interpretieren
– Eine Geschichte dazu schreiben
– Eine Graphik in Beziehung zum Text setzen

– Wiedergeben und Ordnen verstandener Informationen
– Interpretieren von Schlüsselsätzen
– Mit Hilfe der Textaussagen eine Biographie schreiben

## B. Gerhard Fuchs: Ballungszentren und Teilhauptstädte
*(Informativer Sachtext)*

Totales Lesen
– Sätze einer Zusammenfassung ordnen
– Textbildende Elemente markieren
– Die Entfaltung des Themas untersuchen
– Ein Kurzreferat halten

## C. Städtebilder
*(Text-/Bildcollage)*

Leseverstehen

---

Themenbereich:
## Politik und Geschichte

---

Lektion 22                    S. 230–238
## Bundesrepublik Deutschland II

## A. Ingeborg Drewitz: Der Mann im Eis
*(Hörspiel)*

Hörverstehen/Produktion
– Daten der deutschen Geschichte des 20. Jahrhunderts

---

# Quellenverzeichnis

10 Suleman Taufiq: Die Frage. [1. Strophe.] In: Im neuen Land. Bremen: edition CON, 1980. – Dragutin Trumbetas: Ismet ist allein. In: D. T.: Gastarbeiter. Bild Nr. 63. Frankfurt am Main: Büchergilde Gutenberg, 1977.

11 f. Michèle Dupire: „Ihr Deutschen seid etwas erstaunlich". In: Die Zeit, 13. 7. 1982.

15 Joseph von Eichendorff: Wer in die Fremde will wandern. In: J. v. E.: Aus dem Leben eines Taugenichts. In: J. v. E.: Novellen und Gedichte. München/Zürich: Droemer, 1952. S. 73 f.

17 Stadtplan Berlin. [Ausschnitt.] © Kartographie und alle Rechte: Falk Verlag GmbH, Hamburg.

18 Daxing Chen: „Gnädige Frau". In: In zwei Sprachen leben. München: Deutscher Taschenbuch Verlag, 1983. S. 100.

20 Foto: Werner Bönzli, Reichertshausen.

21 Immatrikulation. In: Der ausländische Student in der Bundesrepublik Deutschland. Hrsg. vom Deutschen Akademischen Austauschdienst. Bonn [o. J.] S. 28 f.

27 Auszug aus der Rahmenordnung für ausländische Studienbewerber; Beschluß der Kultusministerkonferenz vom 30. 4. 1976.

29 Vorweg: Einige Hinweise für Erstsemester und solche, die es werden wollen. In: Wolf Wagner: Uni-Angst und Uni-Bluff. Berlin: Rotbuch-Verlag, 1977 (sprachlich berichtigt).

35/37 Abb.: Matthias Bleher, Huber Kartographie, München.

38 Schaubild und Text: Globus Kartendienst GmbH, Hamburg.

40 Textcollage. Die Sätze stammen aus: (a) Tatsachen über Deutschland. Gütersloh: Bertelsmann Lexikothek Verlag, ⁴1984. – (b) Jack McIver Weatherford: Deutsche Kultur, amerikanisch betrachtet. In: Tintenfisch 15 (Thema: Deutschland. Das Kind mit zwei Köpfen.) Berlin: Wagenbach, 1978. (Quartheft 97.) S. 82–94.

43 Abb. 1 bis 8: Interfoto-Pressebild-Agentur, München. Abb. 9: Süddeutscher Verlag, München.

45 Schaubild: Spiegel Spezial 1, 1991.

48 Foto A: Dieter Kramer, Berlin. – Foto B: Bildagentur Mauritius, Mittenwald.

49 Fotos C, E: Bildagentur Mauritius, Mittenwald. – Foto D: foto-present, Essen.

50 Michael Andritzky: Das Bedürfnis nach Kontakt und Kommunikation. [Ausschnitt.] In: scala Jugendmagazin. Sonderheft 5, 1978.

55/56 Foto: Stadtwerbung Darmstadt. – Ot Hoffmann: Alternatives Wohnen in der Stadt – mitten in Deutschland. [Ausschnitt.] In: Weiter wohnen wie gewohnt? Katalog der 19. Ausstellung im Haus Deutscher Ring. Hamburg, 1979.

59 Schaubild: Globus Kartendienst GmbH, Hamburg.

60 Text: Globus Kartendienst GmbH, Hamburg.

63 Übersicht: „Studentische Wohnformen". In: Das soziale Bild der Studentenschaft in der Bundesrepublik Deutschland. 12. Sozialerhebung des Deutschen Studentenwerkes, September 1989.

71 Karikatur aus: Loriots Großer Ratgeber. Zürich: Diogenes Verlag AG, 1968.

73/74 Max von der Grün: Stellenweise Glatteis. Darmstadt/Neuwied: Luchterhand, 1973. S. 9, 10, 37. [Die hier zusammengefaßten Textabschnitte tragen im Original keine eigene Überschrift.]

75 Karikatur aus: Loriots Großer Ratgeber. Zürich: Diogenes Verlag AG, 1968.

76 Fotos: Bildarchiv Huber, Garmisch-Partenkirchen.

77 Fotos: Interfoto-Pressebild-Agentur, München.

82 f. Juliane Windhager: Nachbarn. In: Wer ist mein Nächster? Hrsg. von Inge Meidinger-Geise. Freiburg i. Br.: Herder, 1977. S. 189 f.

87–89 Erich Fromm: Lieben. In: E. F.: Haben oder Sein. Stuttgart: Deutsche Verlags-Anstalt, 1976. [Die Originalausgabe erschien unter dem Titel „To Have or to Be?" bei Harper & Row Publishers, New York/Hagerstown/San Francisco/London.] Mit freundlicher Genehmigung der Deutschen Verlags-Anstalt, Stuttgart. – Die im Originaltext Fromms in Klammern gegebenen Anmerkungen lauten folgendermaßen:
* In ‚The Art of loving', New York 1956, habe ich darauf hingewiesen, daß der Begriff „falling in love" ein Widerspruch in sich selbst ist. Da Lieben ein produktives Tätigsein ist, kann man nur in Liebe stehen oder gehen, aber nicht „fallen", da dies Passivität bedeutet.

** Vgl. die Unterscheidung zwischen „einfachen" und „aktivierenden" Stimuli im 10. Kapitel von „The Anatomy of Human Destructiveness", New York 1973.

92 Bertolt Brecht: Morgens und abends zu lesen. In: B. B.: Gesammelte Werke. Frankfurt am Main: Suhrkamp Verlag, 1967. – Erich Fried: Dich. In: E. F.: Liebesgedichte. Berlin: Wagenbach, 1979. (Quartheft 103).

93 Günter Kunert: Unterwegs mit M. In: G. K.: Warnung vor Spiegeln. München: Carl Hanser Verlag, 1970.

95 Studenten berichten. In: Materialien zur Landeskunde. Nr. 3. Ludwigsburg: Deutsch-Französisches Institut, 1980.

96 Wie S. 29.

101 Abb.: Sir Joshua Reynolds: Jüngling mit Flöte in waldiger Landschaft. Farbstich nach einem Gemälde. Archiv für Kunst und Geschichte, Berlin. – Text aus: Werner Vordtriede: Ulrichs Ulrich oder Vorbereitungen zum Untergang. München: List, 1982.

102–104 Gisela Dachs: Kritisch, forsch und selbstbewußt. In: DIE ZEIT, 1. 3. 1991.

107 Foto 1: Heinz Gebhardt, München. Fotos 2, 3: Süddeutscher Verlag, München.

110f. Robert Wolfgang Schnell: Grüner Fisch. In: Da nahm der Koch den Löffel. Hrsg. von G. Frank. Salzburg: Residenz Verlag, 1974. S. 103 f.

113 „Wein". In: Der Große Brockhaus. Bd. 12. 18. Aufl. Wiesbaden: F. A. Brockhaus, 1981.

114f. Huber Fritz: Die einzelnen Mahlzeiten. In: Jäkel: Der praktische Hausarzt. Niedernhausen: Falken Verlag, 1981.

118 Beide Fotos: Süddeutscher Verlag, München.

120f. Daxing Chen: „Nein, danke". In: In zwei Sprachen leben. München: Deutscher Taschenbuch Verlag, 1983. S. 101.

123 Tabelle: Statistisches Jahrbuch über Ernährung, Landwirtschaft und Forsten Münster: Landwirtschaftsverlag Münster Hiltrop, 1990

126f. Bertolt Brecht: Deutsche Kriegsfibel [Auszug.]; Fröhlich vom Fleisch zu essen; Hungern. In: B. B.: Gesammelte Werke. Frankfurt am Main: Suhrkamp Verlag, 1967.

128 Die Welt-Ernährungssituation. In: Diercke Weltatlas. Braunschweig: Westermann, 1980.

129–131 Wanda Krauth: Ökologischer Landbau und Welthunger. In: Wanda Krauth/Immo Lünzer: Öko-Landbau und Welthunger. (rororo aktuell 4848). Reinbek bei Hamburg: Rowohlt Taschenbuch Verlag GmbH, 1982, S. 61/63. – Schaubild: Die Ursachen des Hungers in den Ländern der Dritten Welt. Ebd. S. 65.

136 Karl Friedrich von Klöden: Jugenderinnerungen. Hrsg. von Max Jähns. [Auszug.] Leipzig 1874.

137 Gesetz zum Schutz der arbeitenden Jugend. 21. 9. 1984.

139 Wilhelm Busch: Maler Klecksel. [Auszug.] In: Wilhelm Busch Album. Berlin/Darmstadt [u. a.]: Deutsche Buchgemeinschaft, 1924.

140 Die Berufsschulzeit – wichtiges Viertel der Ausbildung. In: Süddeutsche Zeitung, 16. 2. 1983. Beilage „Jugend und Beruf".

143 Schaubild: Globus Kartendienst GmbH, Hamburg.

145 Arbeitsvermittlung für Studenten. Aus: Studenten-Service. In: Student in München. München: Studentenwerk, ³²1981/82.

151 Schaubild: Spiegel Spezial 1, 1991.

152 Werbetext „Compo". In: Hartwig, Heinz: Wirksames Werbetexten, München: Wilhelm Heyne Verlag.

153 Werbetext „Compo", mit freundlicher Genehmigung der COMPO-GmbH, Münster.

155/156 Abb. 1–3: Süddeutscher Verlag, München

156f. Rede von Carl Friedrich von Weizsäcker (1991, Nicolaikirche, Leipzig) [Ausschnitt].

160–162 Helga Grebing: Die gesellschaftliche Situation des Arbeiters heute. In: H. G.: Geschichte der deutschen Arbeiterbewegung. München: Nymphenburger Verlag, 1966.

166 Karikatur: Jan Tomaschoff, Mühlheim/Ruhr.

167 Wenn alle Ausländer die Bundesrepublik verlassen . . . In: Miteinander leben. Faltblatt des Senators für Gesundheit, Soziales und Familie, Berlin.

169 Bildgeschichte: Erich Rauschenbach, Berlin.

172 Eduard Mörike: Er ist's. In: E. M.: Sämtliche Werke. Bd. 1. München: Winkler, 1976. – Rainer Maria Rilke: Herbsttag. In: R. M. R.: Werke in drei Bänden. Bd. 1. Frankfurt am Main: Insel Verlag, 1966. – Georg Trakl: Sommer. In: G. T.: Die Dichtungen. Salzburg: Müller, 1938.

173 Matthias Claudius: Ein Lied hinterm Ofen zu singen. In: M. C.: Werke. Leipzig: Hesse & Becker [o. J.].

175 Zeitungswetterbericht vom 1. 10. 1983. Deutscher Wetterdienst, Offenbach am Main.

177 „Inversion". In: Der Große Brockhaus. Bd. 5. 18. Aufl. Wiesbaden: F. A. Brockhaus, 1981.

184–186 Willibald Pschyrembel: Klinisches Wörterbuch. 254., neubearb. Aufl. Berlin: de Gruyter, 1982.

188 Selbstbestimmungsrecht des Patienten. In: Hans Halter: Das große ADAC-Gesundheitsbuch. München: ADAC Verlag GmbH und Mosaik Verlag GmbH, 1982. – Maxie Wander: Tagebücher und Briefe. Hrsg. von Fred Wander. Berlin: Buchverlag Der Morgen, 1979.

191 Balint-Medizin. Ein Platz für Emotionen. In: bild der wissenschaft. H. 3. 1983. S. 115–119.

193 Bildgeschichte von Hendrik Craseman, Hamburg.

197 Albrecht Dürer: Der heilige Hieronymus im Gehäuse. Kupferstich. 1514. – Bildarchiv Preußischer Kulturbesitz, Berlin.

201 Paul Alverdes: Namensmißbrauch. In: Rabe, Fuchs und Löwe – Fabeln der Welt. Hrsg. von P. A. München: Ehrenwirth, 1962.

202 f. Hans Daiber: Dumme oder boshafte Kuh? In: Der Tagesspiegel, Berlin, 28. 8. 1983.

205 f. Der physikalische Körper. In: A. Friedrich/B. Liebaug: Mechanik zur Studienvorbereitung. (Physik + Deutsch, Bd. 1). Troisdorf: Liebaug-Dartmann, 1987.

207 Die Wärmepumpe. In: Franz Frisch: Klipp und klar. 100 × Energie. Mannheim [u. a.]: Bibliographisches Institut, 1977.

212 Bertolt Brecht: Ich habe gehört, Ihr wollt nichts lernen. In: B. B.: Gesammelte Werke. Frankfurt am Main: Suhrkamp Verlag, 1967.

213 Peanuts by Schulz. © k/s presse-illustrationsbureau, Kopenhagen.

215 Schaubilder mit Erklärungstext in: Zahlenspiegel. Bundesrepublik Deutschland/Deutsche Demokratische Republik – Ein Vergleich. Hrsg. vom Bundesministerium für innerdeutsche Beziehungen. Bonn, 1985.

216/217 Lutz von Rosenstiel: Führungskräfte der 90er Jahre sollten begabte Koordinatoren und Kommunikatoren sein. In: KARRIERE. Handelsblatt und Wirtschaftswoche, 18. 1. 1991.

220 Foto 1: Bildagentur Mauritius, Mittenwald. Foto 2: Süddeutscher Verlag, München.

221/222 Erwin Dichtl: Studenten verlieren durch schlechte Planung viel Zeit. In: KARRIERE. Handelsblatt und Wirtschaftswoche, 4./5. 1. 1991.

223 Schaubilder. In: Tatsachen über Deutschland. Gütersloh: Bertelsmann Lexikothek Verlag, 1990.

226 f. Birgitta Arens: Katzengold. München: Piper, 1982. S. 198 f.

227 Foto: Klaus Staeck. Edition Staeck, Heidelberg.

231 Gerhard Fuchs: Ballungszentren und Teilhauptstädte. In: G. F.: Die Bundesrepublik Deutschland. Stuttgart: Ernst Klett Verlag, 1985. S. 58 f.

235/236 Abb. 1–5: Süddeutscher Verlag, München.

236–238 Abb. 6–13: Süddeutscher Verlag, München.

Die Witze S. 71, 112, 141, 176 sind folgendem Titel entnommen: Eike Christian Hirsch: Der Witzableiter oder Schule des Gelächters. Hamburg: Hoffmann und Campe Verlag, 1985.

Die Zeichnungen S. 9, 30, 35, 37, 47, 79, 82, 109, 111, 114, 115, 122, 127, 135, 171, 172, 174, 178, 195, 201, 208, 209, 211, 229 stammen von Joachim Schuster, Baldham.

Der Max Hueber Verlag dankt den genannten Rechte-Inhabern für ihre freundliche Genehmigung zum Nachdruck.
Trotz intensiver Bemühungen konnte mit einem Copyright-Inhaber (Crasemann, S. 193) kein Kontakt aufgenommen werden. Hier wäre der Verlag für entsprechende Hinweise dankbar.

Die Quellen der Hörtexte vom Lehrbuch werden im Anhang des Arbeitsbuchs nachgewiesen.